批評なき
カートゥーンの
ゆくえ

小山 昌宏

風刺
滑稽画
はいかに
生き残れるのか？

目次

第一章　カートゥーンにまつわる6つの批評

カートゥーンは本当に「マンガ」なのだろうか？
――マンガとカートゥーンの長くて遠い間柄について

はじめに

本題に驚かれる人は少なくないかもしれません。日本ではひとコマ漫画ともいわれるカートゥーンは、かつては「芸術」の末席に位置し、現在では「メディア芸術」であるマンガの末席に、マンガの一部として位置づけられています。しかしながら、この間、授業でカートゥーン読解の手法、技術の共有による作家の意図への気づき（デコード）と、その意図の再解釈による作品世界の共有（エンコード）を学生と重ねるなかで導かれた「所感」は、カートゥーンは、どうもいわゆる「マンガ」ではないよね、という素朴で単純な結論でした。

1　多様な概念でありすぎる「漫画」

欧米では、カートゥーンとコミックは、ひとまず異なるメディアとして意識されています。ところが、日本ではどうも事情が異なり、カートゥーンもコミックも同じ「マンガ」に位置づけられています。そこで身近にある「マンガの歴史」なる様々な解説書、書籍をひもといてみました。たとえば、石子順『日本漫画史』（社会思想社）には、漫画は「本質的に民衆の立場に立った絵画であり」、「近・現代にみられる現象ではない。古く、貴族社会が武家社会へと移ろうとする境目に、日本の漫画の元祖といわれている鳥羽僧正の『鳥獣人物戯画』の元祖が完成している」（一九ページ）とあり、また清水勲『漫画の歴史』（岩波書店）には、「鳥羽僧正の名は、江戸期に登場する戯画スタイル『鳥羽絵』の語源となり、近世から近代の社会において現代の『漫画』を意味する言葉として使われていた」（はしがき）とあります。

この「語源」によれば、漫画は「鳥獣人物戯画」にまで遡れることになります。しかし、それはメディアとしてみた場合、明らかに「絵巻物」にあたり、「漫画」とは異なることがわかります。また同様に「鳥羽絵」は「版画」であり「漫画」ではありません。事情は海外でも同じようです。たとえばランスロット・ホグベン『洞窟絵画から連載漫画へ』（岩波書店：寿岳文章・林達夫・平田寛・南博 訳／FROM CAVE PAINTING TO COMIC STRIP）では、タイトルどおり、「動物壁画」までもが「漫画」ということになっています。またジェラール・ブランシャール『劇画の歴史』河出書房新社：窪田般彌 訳／la bande dessinée）では、なんと旧石器時代の「絵文字」までもが「漫画」の始まりとして位置付けられています。「漫画」なるものは、どうも描かれた内容（絵）とカンバス（ここでは絵が定着される支持体と考える）だけを考えた場合、ことその概念は、それが壁（石）だろうが、板（木）であろうが、紙だろうが、またその方法が石版であろうが、木版だろうが、オフセット印刷であろうが、さらに昨今にいたってはパソコン上の「電子カンバス」によるものであろうとも関係なく用いられていることが理解されます。おのずと漫画は、本画だろうが、複製画であろうが関係なく、またひとコマであろうと、多コマものであろうとも、絵文字（文字）であり、絵画でもあるという、大風呂敷を広げた多様な意味あいを含むものになっています。

それでは次に、カートゥーンと漫画の関係について考えてみたいと思います。カートゥーン（cartoon）とカリカチュア（caricature）は、日本に導入された明治期には、ともに諷刺画と位置づけられながら、どうもニュアンスとして前者が「漫画」（滑稽画）の意味を、後者が「戯画」（諷刺画）の意味を受けもたされたような感があります。もともとカートゥーンは、「一枚絵」（cartoon）の意味のほか、フレスコ画、モザイク画などの等寸の「下絵」をさし、油絵の下絵を描く「ボール紙」そのもの（carton：カルトン）をさして使われています。カートゥーンがcartonから分岐しcartoonとして、一枚ものの諷刺・滑稽画をさすようになったのは一九世紀半ばのことでありました。

2 かけはなれたメディアになった カートゥーンとマンガ

このようにカートゥーンは、明らかに「紙」に直接描かれる「絵画」あるいは「一枚絵」として登場したものであり、中世、近代の印刷技術の革新により、複製画として広まりました。木版画、銅版画、石版画としての「漫画」は、まちがいなくwoodcut、etching、lithographから生まれ、メディアとしては漫画ですが複製技術としては「版画」にあたります。

その意味からすれば、絵画の「下絵」から生まれた一枚絵として独立を遂げたカートゥーンは、絵巻物や、木版画としての「浮世絵」である「北斎漫画」とは異なるからこそ、絵画（洋画）とともに導入された諷刺・滑稽を描くカートゥーンを、新しく「漫画」と呼ぼうとする流れが日本で登場してきたのでありましょう。しかし、石子、清水両氏の著作にあるように、現在では、漫画はマンガとなり、物語マンガ・劇画（comic strip）をさすことは当然のことになり、絵巻物や浮世絵、錦絵などが現在のマンガの「ルーツ」と考えることは可能だとしても、絵巻物や浮世絵が、直接マンガであると認知することは、かなり無理があると理解できます。そこで、次のような考えが浮ぶにいたりました。

一・明治期に導入されたカートゥーンは、漫画（マンガ的：劇画的）というよりは、戯画、諷刺画、滑稽画であり、「絵画」に近いものであります。また西欧では、カートゥニストは、ジャーナリスト的色彩が強くあり、作品は諷刺精神を内包していなければなりません。カートゥニストはいわゆる「漫画家」ではありません。結論として、カートゥーンを「ひとコママンガ」と呼ぶことを意識的に避け、日本語で呼ぶときは、諷刺・滑稽画（あるいは一枚絵：一コマ画）と呼ぶほうがわかりやすいと思うようになりました。

二．物語マンガ（comic strip）の性質を現代「マンガ特性」と考えた場合、絵巻や浮世絵は、コマ形式やキャラクター造形を考慮に入れた場合、現在のマンガに連なる機能を保有しているようにも思えます。その意味からすれば、カートゥーンは、そのメディアとしての成立上、もはや現代マンガとは異なる「原理」から成り立っているように思われます。

三．日本のマンガ（comic strip = comic）が、キャラクターとの同一化、あるいは準同一化をともない、様々な手法（演劇的・映画的・アニメ的・絵画的・実写的…）をともないながら、読者の主観を拡大しつつ、物語世界に没入してゆく機能を果たしているのに対し、カートゥーンは、現実世界を対象化し、人物を対象化、客観化しつつ、世界そのものを構造的に把握し、表明された世界観そのものへの共感や不快感を瞬時に喚起する機能を果たしているように思われます。

四．このように、カートゥーン（諷刺・滑稽画）とコミック（漫画）は、もはや、どちらも「絵」であるという点においては同じですが、その絵柄も、世界観も、表現手法も、公開数も、人気も、作家数も、読者数も日本においてはまったく、かけ離れたものになりました。

このように考えた場合、カートゥーンが、もはやマンガの一員であることは、かなり無理があることが理解できます。それは、「メディア芸術」の一員であることの無理をも意味します。またカートゥーンは、「メディア芸術」ではなく、「芸術」であること、また「ジャーナル」であること、それが、マンガ（comic）とは異なるものと理解することが可能です（もちろんジャーナリスティックなマンガ：社会性のあるマンガは存在いたします）。

3　日本におけるカートゥーンの布置と存在

そこで、筆者は次のような考えをもつにいたりました。

一．日本で絶滅危惧種的な状況にあるカートゥーンの独自性を維持するために、マンガからカートゥーンを、まず意識上、分離する必要がある。

二．次に、マンガ：メディア芸術からカートゥーンを切り離し、芸術とジャーナルに差し戻す。そしてカートゥニストは、マンガ家として生活しながらも、諷刺画、戯画、滑稽画家として、ジャーナリスティックな役割を果たし、読者はそれを支持する。

三．出版社はカートゥーン作品を「ひとコマ漫画」ではなく、芸術作品と認識し、またジャーナリズム運動の一環に位置づけ、とらえな直す必要がある。そして大学は、カートゥーンをマンガ学部、あるいはマンガ学科から切り離し、芸術学部、美術学科に、あるいはメディア学科に移し、前者は、油絵専攻、日本画専攻、版画専攻などと同様に、諷刺・滑稽画専攻をあらたに設け、日本的な伝統と同時に西洋的な手法も学べるようにする。そして、後者では、報道記録、報道写真、報道映像などと同様に、「報道芸術」として学べるように改組することも考えることが必要と思われます。「メディア」をその名に含む学部であれば、その役割の重大さは、ますます増していかざるを得ません。

四．ひとコマ漫画家は、「一枚絵」を描いたら誰もがカートゥニストになれるわけではありません。カートゥニストは、ジャーナリストとしても活躍をしてほしいものです。もちろんそれは似顔絵、ユーモアマンガ、「江戸マンガ」的な作品を否定するものではありません。

五．新聞社は、ひとコマ漫画の掲載さえ、激減している現状を見直し、「時事漫画」ではなく、報道記録あるいはオピニオン的な役割をカートゥーンに与えることを期待します。現状の報道姿勢を見直すことは、かなり厳しいものと思われますが、筆者はかすかな望みを抱いています。

このように書き記してきますと、「熱くなっているなぁ」、「なぜカートゥーンのことをそんなにも考えているの?」と聞かれそうです。それは二〇一一年、三・一一以降、メディアに対する危機感が高まり続けた結果、世界を、社会を、事件を客観的に報道するはずの、テレビ、新聞メディアがすでに「死んでいた」ことが白日の下にさらけだされてしまったことにすべて帰因します。そして本来「政治諷刺」や「社会諷刺」を掲げるはずの「新聞メディア」が、「諷刺」さえも遠ざけた今、カートゥーンを読む楽しみですら、私たちは失いかけているのです。これでは、うかうか「マンガ」研究をやってはいられない。カートゥーン研究を優先しなければならない…、そんなあせりが、本当に湧き出でしまったのです。

娯楽としてのマンガ…そして諷刺としてのカートゥーン…、日本では漫画だったはずのカートゥーンは一〇〇年たってみたら、本当にマンガとは遠い間柄になってしまいました。そろそろ、互いの道をゆきませんか？と、筆者は強い想いを寄せている今日この頃なのです。

4　インターネットでカートゥーンを発表しよう　これからのマンガとカートゥーン

授業のなかで、自分が描いたカートゥーンを学生にみてもらい、寸評をもらうことがありますが、自分はマンガ家でもなく、ましてやカートゥニストでもありません。ただ時間があって、アイデアが浮かんだから…ちょっと描いてみたにすぎません。「マンガ論」の授業では、キャラクターを使ったマンガの編集（演習）をおこなうものの、大々的にカートゥーンの演習を取りいれることは、学生の要望上も実現することは難しいように思われます。

今後は今時のキャラクター作成を視野に入れながら、カートゥーンに描かれるキャラクターを掘り下げて学んでゆくことを考えています。「マンガ」の授業を「ジャーナリスティック」な人材育成に、どう結びつけてゆくのか、それがこれからの課題になります。カートゥーンを自ら描くという学生が増えてくれるとともに、マンガの技術や手法を、「マンガ界」のなかで充足させるばかりではなく、ほかの世界に移っても活用ができるような人材が増えてくれることを願っています。

機会があれば、pixiv(ピクシブ)などに触発を受け、イラストを描いている学生に、カートゥーンも描いて、インターネットでどんどん発表しようよ…と声かけすることもあります。しかし、やはり諷刺画は、諷刺対象を選定できたとしても、アイデアが湧いてこないと、なかなか描けません。そして、何よりもその「諷刺力」が強すぎるとき、いわゆる「炎上」が起こりかねません。それを個として自らが、引き受けてゆくには、私たちはまだまだヤワすぎます。このあたりも、今後の活動の課題になってまいります。筆者自身、自分の考えたプログラムを、すべて実行できるような「研究環境」にはありません。しかし、与えられた講座とゼミのなかで、様々な工夫をおこなってゆくことは、これからも続けてゆこうと考えています。

カートゥーンの現在
——ひとコマ漫画の「定型化」と「重層化」について

はじめに

蒼天社のカートゥーン専門誌「EYEMASK」の編集長の勧めにより、カートゥーン展覧会、ひとコマ漫画家の個展、読売国際漫画大賞授賞式など、多数参加させていただけるようになりました。カートゥーンといえば、まず読売国際漫画大賞が思い起こされますが、その応募総数は、第十一・十二回（一九九〇・九一年）の一万五千点をピークに下降して、二〇〇七年は、世界七〇カ国・六五九八点にまで落ち込んでいます。(1)

ここ十年間の歴代応募作を図録で見直したところ、作品の「定型化」が妙に気になり出しました。特に二〇〇〇年以降の応募作品の「パターン」化は、カートゥーンが、物語マンガ（ストーリーマンガ）と同質の構造的な「袋小路」に陥っているかのような印象を抱いてしまいました。そこで今回は『戦後「日本マンガ」論争史』で試行した「ひとコマ漫画」の「衰退原因」を引き継ぎ、カートゥーンの「定型化」と「重層化」について、その面白さについて触れながらノートし、衰退の内在的な「原因」を再考したいと思います。

1　カートゥンの文法と政治性

カートゥーンの政治分析を専門とする茨木正治氏は、ストライヒャーの「戯画の言語」を知る前提を三分類しています。[2] 一・「カートゥーン」の内容・質・量・コミュニケーション（としての）価値・影響、二・「カートゥーン」の背景の把握（作業過程での環境、特に編集者との関係）、三・「戯画の言語」の変化の過程を判断し、変化を評価できる方法の確立、がそれです。茨木は、一は作品分析と読者への効果、二は作品の外部環境についての情報理解、三は一・二によって導かれるとしています。

茨木によれば、このストライヒャーの定義は、戯画の誇張表現に力点が置かれ、描かれる対象となる人物（事象）への関心が薄く、作品評価は、それを批評する「しつかりした市民」が存在すればことたりるとする浅薄さをもっているものの「読み方のルール」を持ち合わせていると評価されています。次に茨木は、ハリソンのコミュニケーションとしての「漫画論」について、他の視覚メディアとの比較研究、社会における「漫画」利用研究、「漫画」を使った政治的公正の妥当性やイデオロギーの検証、歴史的視点からみた「漫画」の、四つの機能に加え、五つめにマスメディアの発達による「漫画」の影響力増加について関心を向けています。

「漫画」（カートゥーン）は、送り手（漫画家・原作者・編集者・スポンサー）と受け手（読者）を媒介するメディア（映画・テレビ・雑誌・書籍・その他）を通したコミュニケーションによって変質し、読者の「読み」に影響を与えます。カートゥーン特有の「風刺性」は、誇張（カリカチュライズ）と歪曲（ディストーション）を、簡略（シンプリシティ）／明晰（クリアネス）に結びつけ、広くかつ深い読みを通して、滑稽（ユーモア）にまで到達します。

茨木は、さらにこのカートゥーンの「風刺性」が、その技巧がもつ、「説得コミュニケーション」にあることを、メドハストとデソーサの説をもって説明します。それは、「カートゥーン」の修辞学といわれる「読者説得」モデルです。一．創案　二．意向　三．表現形式　四．記憶　五．所作、に大別されます。一は読み手にテーマを想起させる方法、二は作者の意図する主題（テーマ）の読み手への誘導、三は漫画表現技術、四は一と二を生み出す社会的・文化的意識の共有技術、五は「カートゥーン」が掲載されているメディアの文字情報との関連で生ずる技法に分けられます。

図１　監視社会　たなべたい

では、次にこの五つの「規範」を、具体的

にみてまいりましょう。図1は、第28回読売国際漫画大賞・近藤日出造賞（二〇〇七）を受賞した作品「監視社会」（たなべたい作）です。

一の「創案」はテーマを読み手に想起させる方法ですが、監視カメラの管理人が、またカメラによって背後から監視される絵柄が一目瞭然です。

二の「意向」は、「監視」される側がまた「監視」される対象である「対比・対照」として際立たされることから、その意味するものを読み手に想起させる「仕掛け」を誘導します。

三の「表現形式」は、線や絵柄、その陰影、人物の表情、画像内の位置関係によって、その意図するテーマを象徴化し、誇張・歪曲・簡略手法を駆使しながら、明晰さを紡ぎ出します。警備会社の「管理人」が、背後の荒々しいタッチの監視カメラによって「管理」されることにようてうんざりし、衰弱している様が映し出されます。監視カメラやイスが太いタッチなのにもかかわらず、人物の線は弱々しいタッチです。

四の「記憶」は作者の体験を読み手に「感染」させる力ですが、現在、日本社会の一部の企業は、現場にあからさまにカメラを配置することもありますが、一般にそうした監視カメラの導入は少なくなり、それは装飾や置物の一部としてカモフラージュ（オブジェ化）され、最悪の場合「隠しカメラ」が設置されることもありうるようです。その意味からすれば、この作者の意図するところは、現代社会では、いささかストレートすぎるメッセージになるのかもしれません。

五の「所作」は、読者の関心を引くための作品外の「技術」ですが、これは読売新聞社主催ということが大きく影響します。

この作品の「面白さ」は、「創案」「意向」「表現形式」というカートゥーンの「方程式」を直裁に描いているところにありますが、しかし、「記憶」に関する「読み手」との文化の「共有」に完全には成功していません。

図２　著者ラフ絵

しかも、そこには、監視するものが、さらに「監視」されているという「相互監視」社会の「不徹底」があります。小さいＴＶモニターに映し出された人々の「動き」にも、さらにひねりが必要なように思われます。

モニターのなかに、当然、監視カメラに向かってカメラを向けている人がいてもいいし、監視人を管理している「監視人」の存在を浮き彫りにする描写があってもいいように思えます。

そこで筆者は、次のようなカートゥーンをラフスケッチしてみました。

私たちの社会は、「監視」という恐怖と幻想に覆われているのが実状なのではないか?という動機がその「創案」にあたります。それがテーマとなる「幻視社会」です。「意向」は、実際に監視している管理人は存在せず、「モニター」に映った「映像」をみせられている、「幻の映像」を実像(安心)と思っていやしないか?という発想を得ました。次に「表現形式」は「監視社会」を踏襲し、管理人室にいる「監視人」をとらわれの身としてモニターのなかに配置しました。私の「記憶」では、体験的に「モニター」映像は「虚構」のように感じられます。その意味ではモニター映像は、他の映像に「すり代えられた」としてもなんら問題はありません。

私の描画のレベルはもちろん高くありませんが、私自身の「心象風景」は、カートゥーンの「規範」にあてはまるだけではなく、さらに「ひねくり」をもたらし、そこにある「規範」となるバイアスを取り去り、社会や政治、風俗や事象の「質」を造形化するダイナミズムを欲しています。それは、表層に現れた「風刺」を今一歩深めて、より深層的な「風景」にたどり着くことを願っているのです。

2 カートゥーンを面白く読みたい

「カートゥーンが読まれなくなった」といわれてから久しく時が流れました。それは日本独自の特徴といわれていますが、現在も多くの漫画家がひとコマ漫画を描き続けています。「監視社会」にみられる「風刺」の発想は、いわゆるカートゥーンのカノン（規範）に合致したものですが、ある意味で「定型」化された作法ともとることができます。

おそらくひとコマ漫画が「面白くない」のは、この定型からの逸脱度合が低いことにあるように思われます。「面白い作品」はきっと型破りであるか、型はずれ（形なし）によって生まれるのでしょう。ひとコマ漫画の「面白さ」の復権は、画像のなかに明快かつ、様々な質の異なる「情報」を重層的に織り込むことから始まるように思われます。そのことに気づいたのは授業で「カートゥーン」を批評する時間を学生と共有することによってでした。

当初、筆者はカートゥーン衰退の一因は、若い世代が「カートゥーン」の読み方（作法）、楽しみ方を知らないからだとする先入観がありました。ところが、「第七回京都国際マンガ展」（二〇〇六）の図録から気になる作品を選出し、学生に意見をもらい、討論するなかで、そうではないことがわかってきました。学生から「異なる」意見が次々とでてきて、「ひとコマ漫画」は面白い、奥が深いという意見が次々にでてきます。筆者はひとコマ漫画が「面白くなくなった」こと以上に、「ひとコマ漫画」に触れる機会が少なくなった若者たちが、「質の高いカートゥーン」に触れる機会を失っていたことに気づかされたのです。

さて、授業で使用したカートゥーン作品のなかで、一番意見が錯綜したのが、パウル・クチンスキーの次の一枚です。この作品は、第七回京都国際マンガ展（二〇〇六）で金賞（グランプリ）を獲得した作品です。筆者は、世界平和が達成されたために鳩が引退したと考え、その証拠として銃がオリーブに変えられていると考えました。しかし学生からは、むしろ逆に鳩は戦争によって傷つき引退させられた。いまだに戦争は続いている。その証拠が枯れはじめ、散っているオリーブの葉にあるのではないかという意見でした。

図３　パウル・クチンスキー作

一枚の絵から、まったく逆の解釈が生まれるこの作品の「振幅」こそ、カートゥーンの「深み」が表されたものと思います。この絵をめぐっては、さらに多様な意見がでたのですが、私はオリーブの一枚の葉が、本の上に落ちていることに注目しました。本は文化の象徴であり、オリーブの葉が平和の象徴なのか、それともそれは枯葉となり、文物に戦争という悪影響をもたらすものなのか？　またそれは車イスのタイヤが歪み、もはやたつことも、はばたくこともできない鳩に、平和のために立ち上がることを強要するかのような印象も受けます。この指摘をめぐって、さらに意見交換がはじまりました。

そして最後に、学生の一人が発言しました。「先生、この鳩は世界平和の象徴なのか、戦争世界の象徴なのかは、きっと私たち一人ひとりの『世界観』によって決まってくるのではないでしょうか？」と。

質の高いカートゥーンとは、一方的なイデオロギー的な読みをもたらすものではなく、また権力と権威の一方通行的な解釈をもたらすものでもなく、多様な読みを可能にするアイデアと技法をもつものなのです。残念ながら、国内のひとコマ漫画展を訪問しても、多様な読みを可能にする「カートゥーンの重層化」に立ち会うことは、めったにありません。

ここに、カートゥーンの「定型」を破り、多様な「型」を内包するひとコマ漫画のアイデアと技法を生み出す「面白さ」にチャレンジする若い風刺画家が登場してくる可能性の余地が生まれます。カートゥーン特有の「風刺性」は、誇張（カリカチュライズ）と歪曲（ディストーション）を、簡略（シンプリシティ）／明晰（クリアネス）に結び付け、広くかつ深い読みを可能にする「多様性」「重層性」を担保しなければなりません。そこから、滑稽（ユーモア）が生まれ、風刺は滑稽に切り結んでいきます。そうして風刺精神は時代の鏡になるのです。日本の新聞漫画にみられる多くの「定型化」した「風刺精神」は、もはや風刺もなく滑稽も失っています。「風刺」の型が破られて初めて内容の質的転換がもたらされるのです。

注

（1）残念ながらこの二〇〇七年をもって同賞は終了となった。このことはかつてジャーナリズムの「花形」であったカートゥーン奨励の時代が終わったことを意味し、新聞ジャーナル機能が停止し、ニュース機能のみの存在になったことを示唆している。

（2）茨木正治『メディアのなかのマンガ』臨川書店、二〇〇七年、一〇〇―一一二頁

「風刺」は「笑い」の後からやってくる
――新旧「カートゥーン」に流れるユーモア

はじめに

ひとコママンガ雑誌『ＥＹＥＭＡＳＫ』（蒼天社）の発行人に、「最近面白いカートゥーンありますか」と、無意識に聞くようになったのは、ここ数年のことです。それほど面白いひとコママンガが少なくなり、私たちの感性も衰えたように思えます。今や大手出版社の「カートゥーン」誌は消滅し、ひとコママンガの新作を拝見できるのは、『ＥＹＥＭＡＳＫ』をのぞけば、個人画集や、図録、個展などに限られる時代になりました。

それでも二〇〇九年は、第39回シャリバリ展（銀座）、第33回くまんばち展（新宿）、日本漫画の会主催の第40回日本漫画２００９展（銀座）、マンガアニメ作家による達人リサイクルアート展（銀座）、環境マンガ展（新宿）などのひとコママンガ展覧会、ウノ・カマキリ、秋竜山、畑中純他、多数の個展におじゃまいたしました。今回は、その中から、強く印象に残った「カートゥーン」について、お話しさせていただきます。

1　ユーモアと風刺について考えさせられる

図1「手塚治虫」を売りにする男達

『ＥＹＥＭＡＳＫ』38号掲載の西田淑子の「手塚治虫を売りにする男達」（図1）は、衝撃（笑劇）の作品でした。マンガ不況もどこ吹く風？　手塚治虫に群がる様々な「商法」「利権」「思惑」を「ぶなしめじ」にたとえて、いろいろな顔をしたひと山いくらの「テヅカダケ」がはえそろっています。鼻の形、顔の輪郭、体形は違えども、眼鏡をかけて、ベレー帽を被ると「テヅカ」もどきになっているところが、ユーモアでありながら風刺として大変秀でたものになっています。

西田の作品は「こんな男は嫌われる」シリーズで定評がありますが、さらに一枚、「祝宴に水を差す男」がとても不気味です（図2）。楽しい祝賀会なのでしょう。しかし、おいしそうなご馳走を前に待たされ、画のような話を切り出されては祝宴が台なしです。このような人に、私もときどきお目にかかります（苦笑）が、おそらく根は大変、真面目な人が多いのではないかと思われます。

この「ひとコマ」をみた瞬間、思い出したのが橋本勝の「文明」（図3）です。現代社会では、優れている大状況への「告発」が、小状況（日常）では、滑稽なものとし

図2 祝宴に水を差す男

図3 文明

て立ち上がりがちです。それは「時代の壁」なのですが、現在のカートゥーンはこの壁の前で立ちすくんでいるように思われます。大状況の正しさが受容されるためには、今を生きる私たちの心が、自らを突き動かすような内省力を欲しなければなりません。そうでなければ、その表現は読者の心に響かないものになってしまうのです。西田の風刺は、「飢え」を語る先生を通して、その「飢え」の深刻さを増幅させることに成功しています。正しい内容が、語る主体によって異なる意味合いをもちうることを暴露しているのです。

2　怒りのない笑い？　いや笑いが弱い

昨年、日本の「ひとコママンガが、なぜ衰退したのでしょう？」という、いつもの堂々めぐりの話を数人でしていたところ、ある人が、「結局それは風刺が足りないからさ」と直言されました。対象への命がけの飛躍である風刺は、本来、言葉や絵をもって「敵」の心臓をえぐる力をもつものです。しかし、日本の「風刺」は、「刺すどころか、風とともに去る」だからね、と二言を告げて、その人は去ってゆきました。

そのとき、筆者は特にその言葉に「ひっかかり」を覚えることはなかったのですが、飯沢匡のように「怒り」が足りないから「笑い」がおきないという考えから、逆に「笑いが足りないから風刺にいたらない」のが実状ではないかと、考えはじめていた頃でした。先の西田淑子の作品でも、風刺の意味では、「祝宴に水を差す男」が優れていますが、「笑い」からすれば「手塚治虫を商売にする男達」のほうが心に浸透しやすい。そして笑い（ユーモア）の後に、皮肉がじわじわ効いてきます。一粒の魅力で愉快と痛快を二度味わえるのです。日本の「ひとコママンガ」にはユーモアが足りない。契機としての笑いこそが、「ひとコママンガ」再生の鍵ではないかなど、「テヅカダケ」に気づかされたのでした。

さて、このように考えると、ひとコママンガが生き生きしていた一九六〇年代の作品が気になりはじめました。図4は、横尾忠則の「ＰＯＰ・１９６４」です。この作品は、ピカソに強い影響を受けた横尾が、皮肉にも時代に逆らい、デザイナーから画家を志す心象過程が描かれています。それは、画家をめざして貧乏するよりも、「ＰＯＰをめざしてお金持ちになろう」という標語へのアイロニーに満ちています。よれよれの「ピカソ」が「リキテンスタイン」風の男前キャラクターに走り抜かれてしまいました。ＰＯＰ印の「缶詰」のお墨つきが、そう

図4

した人生の成功が「手軽に口に入るもの」のようなウォーホル流のジャンク感を与えています。このイラスト（風刺）も、「ニヤニヤ」笑いしながら、反面、資本主義システムの本質をうかがい知れ、後からじわじわ風刺が効いてきます。

図5は、佐々木哲の「大笑い」ですが、鳥獣戯画の蛙たちが、腹を剥き出して笑っているのは、どうやら「現代マンガ」を読んでのようです。この一枚画もとてもユニークです。蛙たちの笑いが、果たしてマンガの「内容」が面白くて爆笑しているのか、それとも「くだらない」から嘲笑しているのかの区別がつきません。とても不気味な「ブラック感」が漂っています。主人公が鳥獣戯画の蛙ということから、漫画の元祖キャラクターが、現代マンガの「笑いのレベル」に感動しているともとれますし、バカにしているともとれます。おそらくこの一枚画の意味するところは、現代マンガのルーツを鳥獣戯画に求めようとする「行為」そのものを、当の蛙たちが「笑いとばしている」ととったほうがよいのかもしれません。マンガは、そんなに偉いものではない。そこにはいまだに絵画（芸術）と漫画（娯楽）の間に、深い溝があることを指摘しているかのようです。

図5 大笑い

図6は、真鍋博の「永遠の宗教」です。この一枚は、ずばり国のお墨つきを賜ろうと鳥居をくぐろうとする「画家」とその脇を素通りする「漫画家」の違いを描いています。六〇年代に描かれた「正位芸術大明神」ですが、今ではこの無限地獄の鳥居をくぐろうとしているマンガ家の「空気感」もイメージでき、なんとも皮肉な余韻をもたらしています。「カラス」と「宇宙時代」の科学文明（ロケット）を「芸術教」の生真面目さと古臭さに対置させている点も屈託なく笑えます。

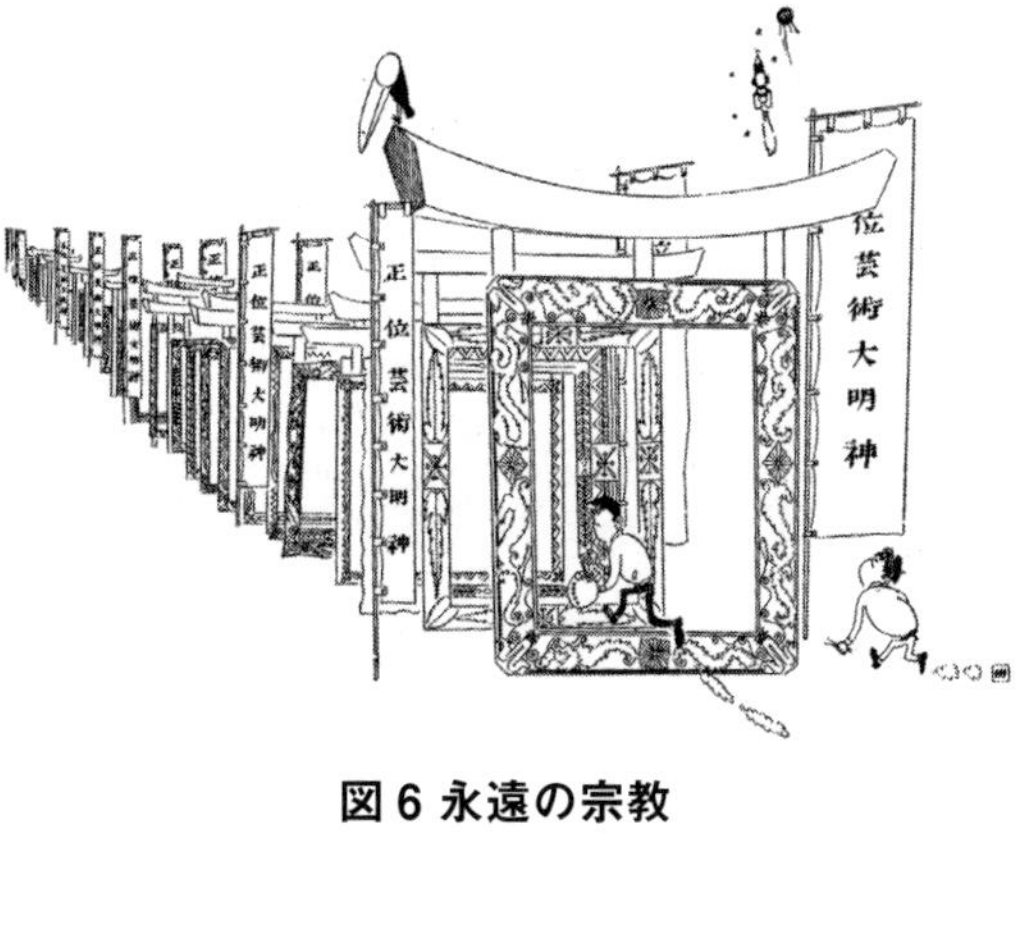

図6 永遠の宗教

さて、以上六点の作品を拝見しましたが、図1、図3～6に共通する印象は、漫画家自身が自らの立ち位置を明確に意識しながら、対象を揶揄し、皮肉ろうとしている姿勢にあります。私が無意識に魅かれる作品は、対象を一意的なイデオロギーから切りつけ、自らを「神様」的な視点に置き換えて、「安全地帯」から無自覚に対象を傷つける作品ではありません。それは対象に投影された揶揄が、そのまま自らにも還ってくるような自虐的な作品なのです。

図7は、チェコ・スロバキア（当時）のブラスタ・ザブラムスキーの作品です。七〇年代に現れたTVゲームのようなフラットな画面に、「ロボット」発祥の国チェコらしい四角からなる兵士たちと丸々と太った資本家が描かれています。しかも資本家は首吊り台に吊されています。しかし皮肉にもこの資本家は同時に傀儡政権の共産党幹部に二重写しされています。真の民主化は資本主義とともに共産主義を葬ることにより達成されるのです。ソ連の軍事介入により「民主化」をはばまれた「プラハの春」を象徴するかのような、人間の無味乾燥（ロボット化）が、怒りに包まれた静寂のシミュレーションから伝わってきます。この作品の素晴らしさは、マンガ本来の記号・表現・単純な四角と丸から構成されるそのシンプルな画面構成が、かえって難解な「抽象芸術」に対する「マンガ」の立場を強烈に主張しているものとして受けとめられます。

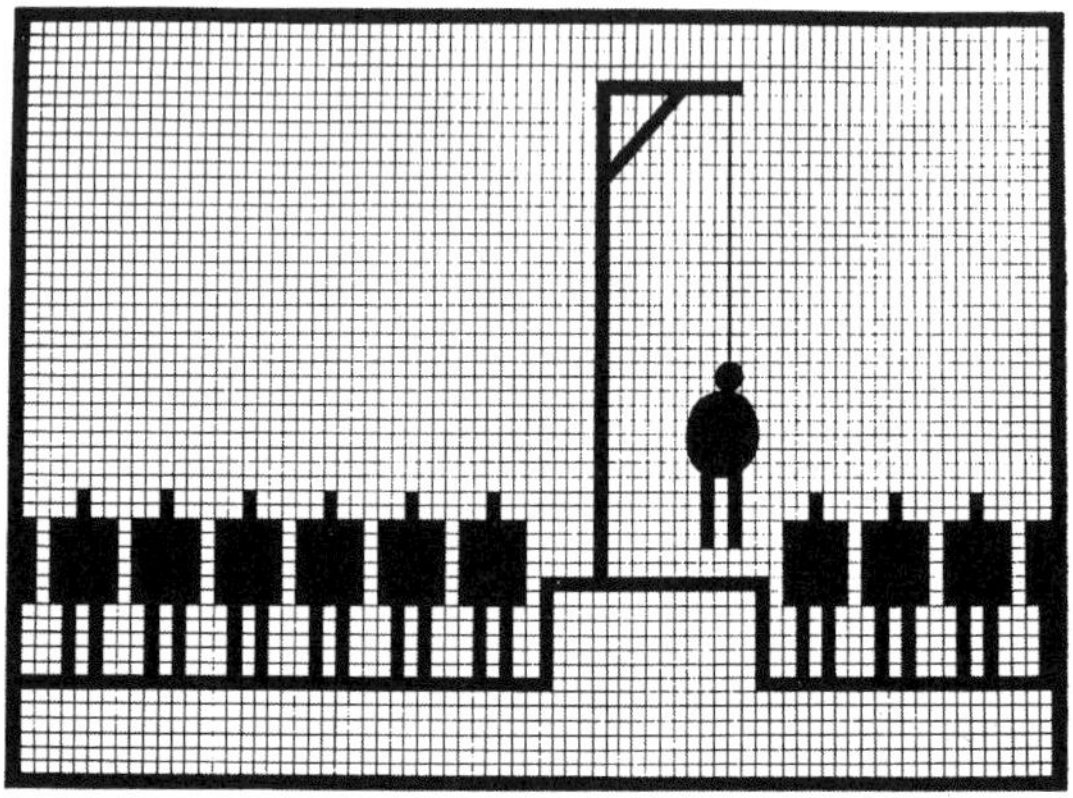

図7

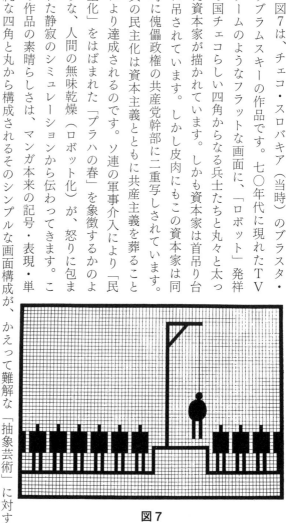

3　風刺は笑いの後にやってくる

なぜ、面白いカートゥーンが少ないのでしょう。それは、日本では発表作品数が少なくなったということもありますが、笑いそのもののパワーが落ち、風刺が効かなくなってしまったという評価が正しいような気がしています。風刺は、「怒り」から発し「笑い」に到達するのではなく、「笑い」から発し「風刺」へと到達するのです。しかし、チャップリンの「独裁者」「モダンタイムス」に描かれていた「笑い」は、確かに強烈な「怒り」を前提にして「風刺」へとたどり着きました。その点、昨今の日本のカートゥーンは、「怒り」が「笑い」を素通りしてしまうために「風刺」にたどり着くことができなくなったように思われます。今だからこそ「笑い」発「風刺」経由、「怒り」行きを体現する作品が望まれます。

宮武外骨と赤瀬川原平の風刺度と時代性
――ジャーナリスティックな風刺画を待ち続けて

1　ひとコママンガの現在

　朝日新聞二〇〇六年八月三一日付けの朝刊に、横浜の日本新聞博物館で開かれた「一枚マンガの折り返し展」関連のシンポジウム「一コマ漫画は生き残れるか」の記事が掲載されました。識者のコメントも「経済へと関心が移った高度成長期に、政治風刺漫画は徐々に力を失った」（細萱敦）、「メディアも多様化し、風刺の前提となる社会のコモンセンスが薄れている」（表智之）、「社会が複雑化し、『敵』がはっきり見えない時代に風刺は描きづらい。ただ課題は山積しており、一コマで本質をあぶりだす風刺漫画の力は今こそ重要」（清水勲）と、字数制限もあり、残念ながら現象的な「コメント」を超えるものではありませんでした。但し、コメントというものは本来そのようなものであり、それらは二〇二二年現在からふり返ってみますと、社会そのもののそこが浅く、かつそのそこが抜けてしまったかのように思われる時代の社会現象を的確にとらえたものであったと評価することができます。

　日本のひとコママンガが「なぜ衰退したのか」についての筆者の考えは、拙著『戦後「日本マンガ」論争史』、第五章「水野良太郎×片寄みつぐ：ひとコマ漫画『衰退原因』論争」で、「マンガ産業の構造とマンガ家の精神性」に「問題」があるという片寄・水野両先生の「指摘」をふまえ言及しましたが、その観点からみた場合、「ひとコママンガ」から「ストーリーマンガ」への移行は、「経済」の発展の結果であり、「時代」の流れであり、自由社会の「成果」であるという言葉は、とうてい納得がいくものではありません。

「ひとコママンガが生き残る」ためには、「ひとコママンガは生き残れるか」と問いを立てる前に、そもそも「風刺精神」は日本社会になぜ「定着」しなかったのか、なぜ「未成熟」なのか、なぜ「無力」なのかを問うことのほうがより大切のように思われます（これは社会学、哲学というよりも「日本文化論」の領域に入るものと思われます）。

2　宮武外骨の風刺精神

宮武外骨は、大日本帝国憲法準備下の明治期に『團團珍聞』を読んで育ち、自らがそれを超える「風刺雑誌」の発行をめざし大正期にかけて活躍しました。宮武外骨の反骨精神は、「頓智協会雑誌」（明治二〇年創刊）、「滑稽新聞」で発揮され、自由民権運動、社会主義運動に共感した外骨は痛烈な政府批判を展開したため、治安当局から度重なる摘発を受けました。なかでも「頓智研法発布式之図」（図1）は、天皇を外見も中味もないただの白骨と揶揄し、かつ天皇の権威がそのまま外骨にもたらされる滑稽表現でありながら、骸骨である外骨自身が大日本帝國憲法（大日本頓智研法）の詔勅を配下に手渡す「天地」逆転の大逆をもたらしているため、不敬罪として外骨には禁固三年、絵師の安達吟光には禁固二年、印刷者の徳山鳳州には禁固一〇ヵ月がいいわたされました。

自由民権運動の基礎を提示した中江兆民に師事した幸徳秋水は「平民新聞」を創刊した後、明治天皇暗殺を企てた無政府主義者と断罪され処刑されましたが、この大逆事件を境に、宮武外骨はこの「陰謀」をジャーナリストの眼で追いかけることになります。それにより外骨は生涯四度投獄されることになりました。このように「風刺精神」は「命がけの生き方」に宿り、それが近代日本のジャーナリズムの精神（肝）の源になりました。

それについては拙誌「まぐま」12号で、風刺漫画家・橋本勝氏のインタビューでも語られています。

図1

橋本「宮武外骨は風刺的な手法を駆使したジャーナリストとして大きな存在ですね。とくに主張と表現が、生き方に一体化しているところがすごい。権力と戦う姿勢に貫かれているところがすごい。戦後の日本の政治漫画にはこの姿勢がない」

小山「一コマ漫画であって物語漫画でもあり、風刺漫画であって、具体的に固有名詞を想起させる意味で「政治漫画」であると。（略）具体的な事例で、具体的に批評、批判する。これが一番（当事者）にとって怖いことなんだ」と。

橋本「それをやるには、それ相応の覚悟がいりますけどね。戦場などに行かなくてはならない。カメラマンやルポライターはそれで命を落としたりします。でも漫画家は家にじっとしていてもできるので、安全な仕事です。あの小林よしのり氏はオウムによって命をねらわれましたが、これは例外です。氏の作品の思想には必ずしも賛成できないところもあるのですが、自ら存在をかけてやっている、その本気さは見習うべきだと思っています」

「本気になってやれば、世界を、日本を変える〝風刺マンガ〟を描くことは可能なんだ（ということは自らを危険にさらすことになるかもしれませんが）と思ってこれからもガンバッテいきます」

（『サブカル・ポップマガジン まぐま』12号　六八〜七〇ページ　蒼天社／文藝書房　抜粋）

この言葉から私たちは、風刺マンガ家が二重の「困難」を背負っていることを知ることができます。一つはより本質的な風刺マンガ家を描こうとすると、ただでさえ「売れない」風刺マンガ家の「生活の困難」を加速します。もう一つは本質的な風刺マンガを描こうとすると「生命の困難」をともないます。この意味からすれば風刺マンガ家は、「スポンサー」の顔色を気にかけ、また「権力者」の顔色をうかがわなければ「仕事」として成立することが困難であるということがいえましょう。ジャーナリストと同じように、筆一本で生活している風刺マンガ家は、この「生存原則」を守らざるを得ません。多くのひとコママンガ家が生活の困難をともなうことから、イラストレーターや「副業」で稼ぎながら風刺マンガを描き続けている現状が、ひとコマ漫画界の「未来」を、自ずと物語っているように感じられます。

宮武外骨は福田友吉の協力を得て「滑稽新聞」を創刊しますが、スポンサーがいないため権力者におもねることなく、すべて「自力・自前」で「風刺精神」を貫徹する、気がつけばまさに「命がけ」のジャーナリストになってしまったわけです。しかし、筆者自身「命がけ」の生き方をすればするほど、生活の場を奪われ、職場をおわれ、生活がままならなくなることを体験しているために、もはやそのような「生き方」を人様に薦めることはできません。日本では、長いものに巻かれることを嫌い、組織に依存することなく、誰におもねることなく「独立独歩」で生きる風刺の精神を持ち続けることは大変な困難をともなうのです。その姿勢を貫徹することは、「風刺マンガ」の問題だけでなく、「成熟」した日本社会、そこに生きる日本人の「限界」をたえず問い続けることになります。

3　赤瀬川原平の反骨精神

宮武外骨が生きた明治・大正時代の国家権力に比べれば、戦後日本の権力の「暴力性と残虐性」は大人しいものになりました。直接的な「暴力」から間接的な「暴力」へ、その「取り締まり手法」は周到に用意され、暴力は公には「発表」されず、「代用監獄」や「刑務所」や「精神病院」などの閉じられた空間で密かにおこなわれるにとどまり、国民は「裁判」を通じて、かろうじて「権力」の横暴や乱用を告発することができるようになりました。

戦後日本六〇年代の冷戦構造下に、イデオロギー暴露の手法を用いて宮武外骨を見習い戯画化した芸術家に赤瀬川原平がいます。赤瀬川原平は、宮武外骨へのリスペクトから、次の絵を描きました（図2）。この絵は宮武外骨の「滑稽新聞定期増刊」（明治四一年六月五日号）（図3）の絵を「本歌取」したものです。封建的な権力構

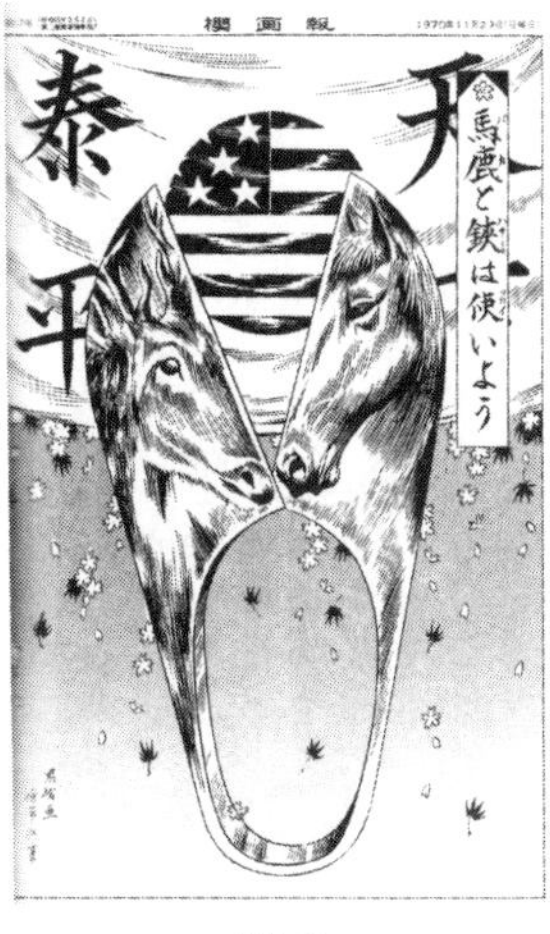

図2

造が「運命の赤い糸」で象徴され、「革新」的な男女の鋏によっても「切れない」ことを「世相批判」としてえぐり出しています。赤瀬川原平はこの「男女の仲」にあつらえて描かれた絵を、日本とアメリカの関係に置き換え、鋏の部分には「馬鹿」（典型的な日本人）を配置することで、今の「日本人」にはアメリカと日本の「濃厚な関係」を切ることはできないことを風刺しています（『櫻画報大全』一九七〇年一一月二九日号　新潮文庫版一三〇ページ）。

　このような歴史的な「本歌取」はみていて楽しいものですが、その力量はリアルな「パロディ」によって、さらに楽しめるものになっています。図4は、「花咲爺」をモチーフに高度経済成長に嬉々とした「良い爺」（国民）が、「機動隊の犬」に案内された場所を掘ると「大判小判」がザック

図4

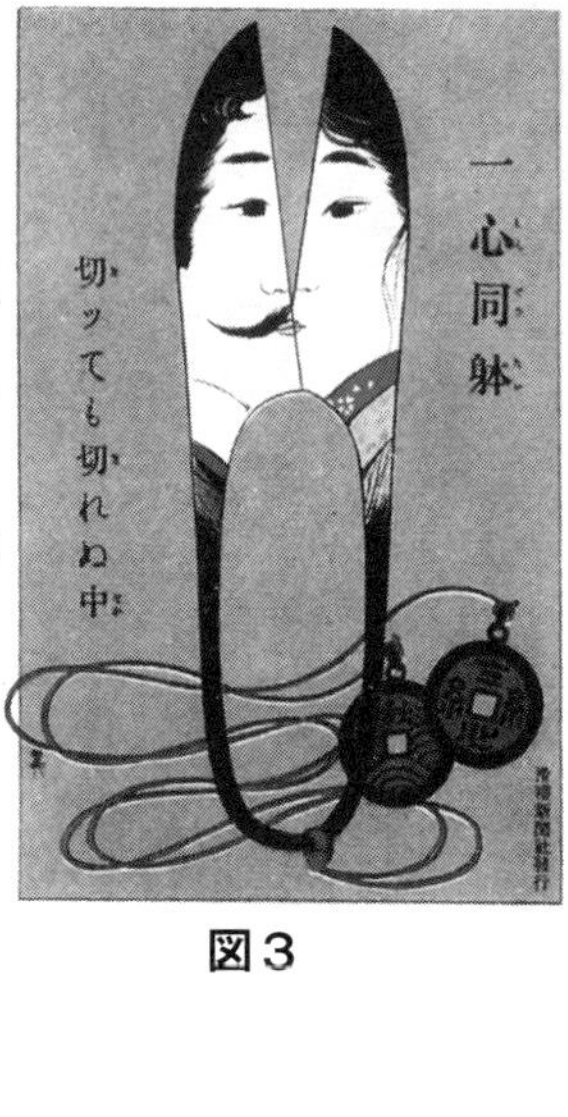

図3

ザクでてきた絵ですが、「悪い爺」（暴力学生）が掘ると「ゴミ」がでるので、怒った「悪い爺」は、犬を殺してしまいました。さらに「悪い爺」によって殺された「機動隊の犬」の細骨を、「良い爺」がジュラルミンの楯（うす）にしてつくと、大判小判やら大型カラーテレビが飛び出し、「悪い爺」がそのうすを借りてつくと、またゴミがでてくるというアイロニカルな表現がとられています（図5）。（前掲書　八二〜八七ページ）

この連作は、一枚画に物語性をもたせることで、「世相」を見事に風刺しています。「花咲爺」の権力追認のモチーフを生かして、機動隊の犬の「遺骨」で、桜の花を咲かす「良い爺」と、その灰が権力者の目に入って「打ち首」になる「悪い爺」を対比させ、長いものに巻かれて生きる良い爺も、権力に反発して生きる悪い爺も「滑稽化」する力がこの作品にはあります。

図5

ここには、風刺画が「活性化」するヒントが隠されているような気がします。日本人に慣れ親しまれている物語やモチーフを、現代の世相や権力構造に比して一端パロディ化し、次に劇画化する。一つの手法だけでなく、様々な手法やモチーフを一枚の絵に重層化し、物語化に優れていれば連作してゆく試みがあってもよいと思います。赤瀬川原平は、「ニセ千円札」作成事件で検挙され、「アカイアカイ朝日」筆禍事件で「朝日ジャーナル」を追われ、「ガロ」にその活躍の場を移しましたが、その後芥川賞受賞、超芸術トマソンブーム、路上観察学会発足、老人力などを発揮され、活躍を続けてきました。

このような赤瀬川の六〇年代の直接行動的な作品を読み返してみますと、現在のひとコママンガ家には、まず遊戯精神で、新たな風刺の「作風」をつくり、描き手としての「閉塞感」を、国家権力と政財界、圧力団体と宗教団体などとの距離に置き換えて、自虐的にパロディ化していただくことを切望してやみません。それは自らの立ち位置を、まず「風刺化」するところから「風刺力」が蘇える可能性があるとことに筆者はかけているのです。

風刺滑稽画（cartoon）におけるモードの温度差
——Paulo, BLU, Banksy の風刺「壁画」と日本の「壁画」制作について

はじめに　ファッションとモード

ファッションといえば、一般に「流行」と一言で済んでしまいがちですが、いざ定義するとなると難しい言葉であることに気づかされます。それは大別すれば、一．心理的欲求による差異化と自己同一性保持の行動プロセス、二．集団的模倣による同調現象（コンフォーミティ／シンパシー）、三．社会文化空間の創造にかかる社会心理的選択行動（セレクション／アルタネーション）、四．一～三の結果として現象する集団化された行動様式、文化様式（スタイル）、五．一～四の集積としての社会現象の形態的特徴（フォーム）の五つに分けられます。

いわば、ファッションは、その意味のなかに、一．個人的動機、二．一般的意味、三．社会関係、四．一般様式、五．一般形式、を含むものとなります。簡易的にいえば、ファッションとは、文化秩序の背景にある不可視的な精神文化が、表層的な物資文化となって可視化、社会現象化されたものと考えることができます。では、これもまたよく耳にする言葉であるモー

ドとは何を意味するのでしょうか？　モードはファッションを意味づける物質文化と精神文化、可視と不可視、表層と深層の〝揺らぎ〟の根拠、すなわち「意味の変化」を根拠づけする一つの〝存在様式〟である、と定義することができます。それは、モードを形成する「アイテム」の形（感覚）、機能（効用）、意味（解釈）など、各位相の統合体とみなしてよいでしょう。

しかしながら、この存在様式（モード）は、固定的なものではありません。それは既成文化と新生文化との軋轢により生成されるファッションを規定する「文化コード」によってたえず更新されてゆきます。ファッションは、この「文化コード」の介在によりモードと連環し、モードそのものの再編に関わってゆくことになります。

1　ファッション／モード形成と風刺滑稽画

西欧と日本におけるファッションとモードの形成の違いは、たとえば「高級」概念をめぐるイメージの差異としても理解することができます。日本では「高級」は「高価」であり、端から「洗練」されていなければなりません。そこには「好悪」などの感情がなかなか入り込まず、ブルジョア的、道楽的な「浪費」感情などを組み入れにくくなっています。いわば、日本人は「高級」イメージに対して、めざすべき、たどり着くべき「聖域」のような感覚が無意識にあり、それが西欧的な「高級」に対する「低級」、「上流」に対する「下流」、「支配」に対する「対抗」など、二項対立による緊張関係、相対的な存在価値を見出しにくくなる要因となっています。それは裏を返せば「高級」イメージの特権性を仮想的に固定化してしまう心理的作用を持ち得ることにもつながっています。

冒頭の話に戻しますと、一般に文化的モードは、生活文化をささえる精神文化（伝統・習慣・風習・儀礼・規律・道徳・価値・規範など）を物質文化による複数「アイテム」（アイテム群）によって身体化、社会化してゆくプロセスにおいて形成されてゆきます。たとえば、それは毎日の服の選択（ファッション）であれば、その素材、形、配色、色の組み合わせとともに、他の選択すべき衣服との互換性、身体と衣服のフィット感、スタイル（着こなし）を身だしなみ、礼儀、審美感覚などと照らし合わせ検討してゆくことになります。いわばファッションは、「アイテム」の形（感覚）、機能（効用）、意味（解釈）などの、モードを形成する各位相の複合化過程から現れるものとなります。それが文字どおり、一般化し、流行すれば一つのファッション・スタイルになり、その結果はファッションの一定の選択基準を担う「文化コード」を通して、逆に基層であるモードの変容をもたらすまでに発展してゆきます。

風刺滑稽画（cartoon）、風刺画（caricature）にたとえるならば、そのファッション性は、描き手の精神性を可視化する際に選択される素材（モチーフ）をもとに考案（テーマ化）され、具体的に構成（デザイン）される表現過程に露出します。そしてモードは他の選択すべきテーマとの互換性、作家自身のイデオロギー、スタイル（様式）を社会一般的な常識、慣習、審美感覚など（文化コード）と照らし合わせる際、各自無意識に蓄積されてゆくことになります。

2 Paulo、BLU、Banksyの風刺「壁画」

二〇〇八年以降、筆者自身の風刺画への関心は、世界的な展開をみせる壁画家の作品群に移りました。それは主にPaulo、BLU、Banksyの壁画との出会いがとても大きく影響したものと思われます。たとえばブラジルのストリート・アーティストたちの壁画は、公共施設（学校）、道路、私有地（家屋の壁）を選びません。そのなかでも、Paulo（パウロ・イトウ）の壁画（図1）は、二〇一四年開催のサッカー、ブラジル・ワールドカップをめぐる政府批判の急先鋒として日本でも朝日新聞、NHK海外報道番組で紹介されました。その作品は皿にのせられたサッカーボールの前で、少年がナイフとフォークを持ち泣いている姿を描いています。ワールドカップに巨大な投資をおこなうのならば、政府は貧困層への医療、福祉、教育を充実すべきだ、との強い風刺が込められています。

図1　Paulo：2014

一方イタリアの壁画家・BLUは、数々の文明批判大作をビルの壁面や廃墟などに描いています。人が人の財布を盗み続けるプルードン／バクーニン的な価値観に基づく資本主義批判（図2）や、鼻高々の男たちがやがて「鼻煙突」から世界に暗雲（排気ガス）を競ってまき散らす資本主義文明批判のインパクトはその絵が巨大であることを想像しても迫力があります（図3）。さらに無数の赤い人から成り立つ巨人が白い小さな人間を食べようとする巨大壁画は、燃え盛る巨大産業文明が無垢なる人間を喰う縮図とも、共産主義が西欧資本主義を席巻した時代を描いたとも、有色人種が白色人種を凌駕する「西洋」の黄昏とも、様々な解釈をその絵から得ることが可能です（図4）。

図2　BLU：2010

　このような現代壁画としての風刺画は、Banksy壁画の高度な「洗練」によってさらなるエッジが研ぎ澄まされています。彼はいまだに正体が明白ではないアノニマス的存在（本名、生年月日は流布）で、銃撃される恐れをものともせず、ヨルダン川西岸地区のパレスチナ側の分離壁（イスラエルの不法隔離壁）に九つの壁画を残したほか、MoMA、メトロポリタン美術館、ブルックリン美術館、アメリカ自然史博物館、ルーブル美術館に無許可展示、大英博物館にはラスコー洞窟壁画風のペイントをした石を展示、その作品の多くは人目のつかない部屋に置かれ、発見者が現れるまでの間、一般展示物のように安置されていたという逸話をもちます。また世界的企業、名だたるミュージシャンなどの数多い仕事の依頼を断り、「資本主義的成功」を顧みず、ひたすら世界中に「風刺画」をペイントし続けるトリックスター的な人生をおくっています。いつしかその「作品」は市民の圧倒的支持のもとに、自治体もその「芸術性」を認めざるを得ず、二〇〇七年二月に行われたサザビーズ主催のオークションでは、作品計六点が総額三七万二千ポンド（日本円で約八五〇〇万円以上）の値をつけるまでに高騰しています。

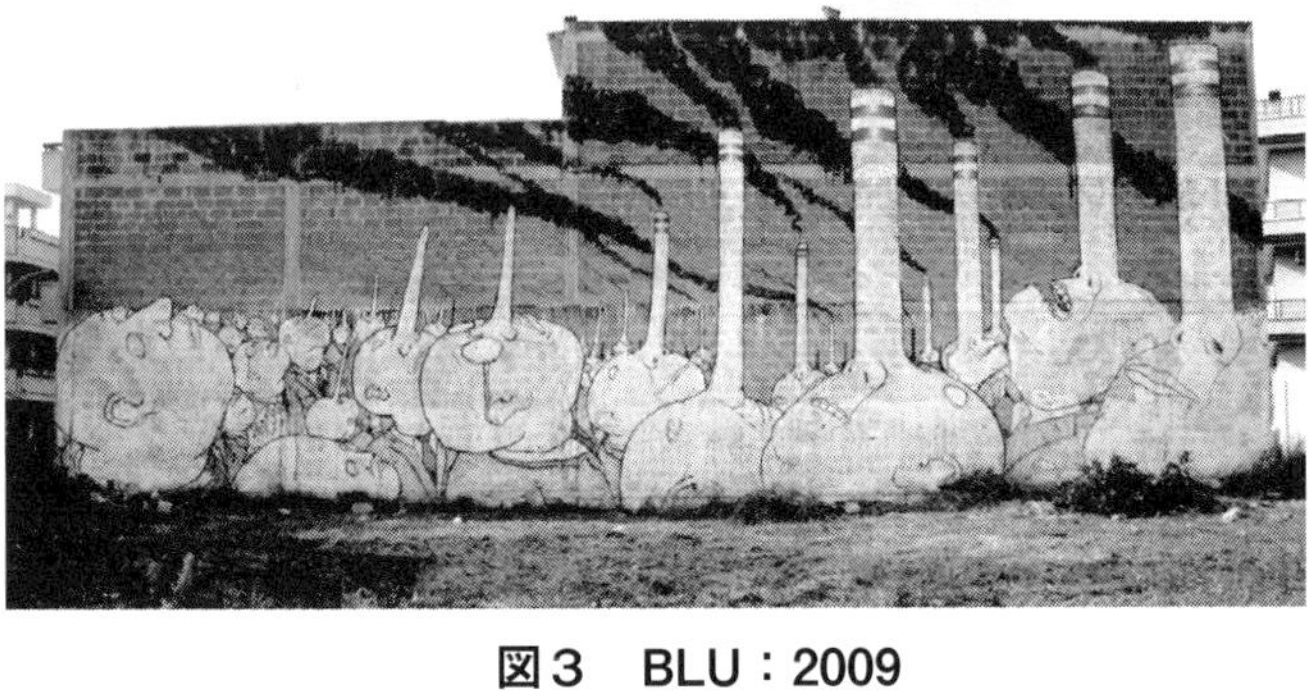

図３　BLU：2009

図5は、壁画を「落書き」と見間違えられ、各地でその「壁画」が清掃されてしまう事態、自治体の姿勢を皮肉るとともに、「世界遺産」級の「洞窟壁画」でさえも、その価値がわからないものにはルーティーンワークの一環で、淡々とクレンジングをおこなう対象物でしかない落書きの「悲劇」を描き出しています。

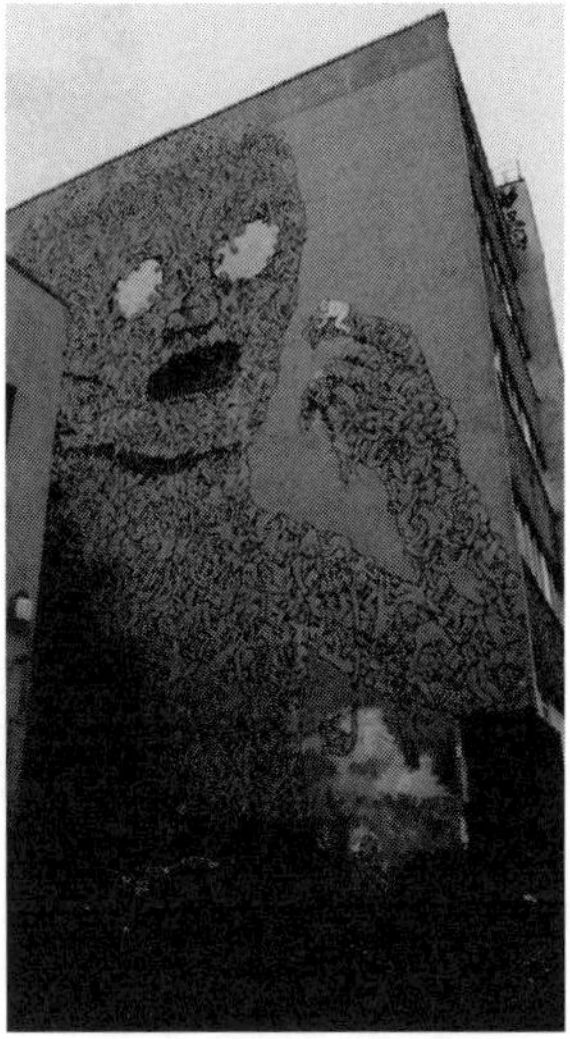

図４　BLU：2007

ここには、公権力が定めた規則と専門家によるお墨つきがなければ成立することのない「芸術」の範囲が、公共空間の「不法占拠」によって超えられてゆくとき、その作品自体がたとえ、優れていたとしてもそれは単なる「落書き」として「認定」され続けるのです。

図6は、ニューヨークのサウスブロンクスのビル壁に描かれたBanksy作品。それはかつて「荒廃の象徴」として名高かった街は、現在多様な人種、階層により成り立つ「新しい街」へと変化、その街に登場した壁画です。スラム街へスプレー缶の「お代わり」を携える「執事」をともなってやってきた「おぼっちゃま」が、「GHETTO 4 LIFE」（スラム魂）との落書きをしています。皮肉にもこの「落書き」は消されることはなく、ビルのオーナーによって雇われた

ガードマンによって保護されています。

ここに、私たちは「落書き」が、「芸術性」「経済的価値」「市民権」を得ると同時に「公共性」を獲得してゆく、アイロニーの絶頂を感じ取ることができます。

このようなBanksyの「ゲリラ活動」は、日本人が同様の活動をおこなった場合、日本では西欧的な公共空間が成立する余地がなく、住民自治を経た市民社会性が成熟していないために、ただの「公共心」の欠如した「奇行」「犯罪」などのレッテルを即座に貼られ、嘲笑されるとともに、まるでそれが存在しないかのような扱いを、一般的に受けることは明白でしょう。それは、そもそも階級性、人種差、民族性の異なりを乗り越えようとする「軋轢の象徴」として風刺画を認知する社会と、予め人間が同質であることを前提に、異質なものは互いに遠慮しあい、結果的に排除しあうことで、棲み分けをおこなう日本社会では、この「ゲリラ活動」の意味することも、その評価も、目的もおおいに異なるものになってしまうのです。

図5　Banksy

3　海外風刺「壁画」のファッションとモード

　このようにみた場合、海外の諷刺壁画家たちのファッションとモードは、各々の国の文化コードが、その流れ（トレンド）を生み出す母体となっていることに気づかされます。Pauloの壁画は、その絵にブラジル特有の人種差別、経済格差、貧困問題を含み、政治、経済、文化、社会的な要因が各々、黒人・少年（人種問題）／裸体・汚れた机（貧困問題）／ナイフとフォーク（支配関係）／皿と椅子（情報宣伝）などの、選れてブラジル的な表象として描かれていますが、それは黒人・少年（貧困層）がナイフとフォーク（国の政策）をもってしても、生きることが困難であるという、相変わらぬブラジルの「モード」を再生産（文化コード化）してゆくことになります。

図6　Banksy：2013

この点において、BULの壁画のテーマはより「普遍的」であり、西欧資本主義が生み出した産業文明による人類の疎外と物象化、破壊という古典的なテーマを、斬新な視覚メッセージとして表したものといえます。それは戦争、差別、貧困をいまだ克服することができない人類に共通する基本「モード」を含むものとなります。それは、時にはそのファッション性にすり替えられた芸術性をめぐり、クライアントとの摩擦が生じ、完成をみない作品もでてくるほどです。こうしたBLUの作品例は、「アート」が壁画家自身の「モード」と社会的文脈から発するコンフリクトとのバランス上に成立していることを示唆するものとなります。それは場所、対象、図案、構成、配色を変え、時代の裂け目から壁に向けて幾度となく噴出しています。BULの壁画は、二〇世紀の「世紀末」ではなく、二一世紀にいたり、真の世紀末感覚が、私たちを狼狽させることを実感させる黙示録的な意味さえ漂わせています。

さて、最後にBanksyの存在が、世界中を席巻している理由は何か?について考えてみます。それは、その作品がストリートと一体であり、その場所に描かれることがすでになんらかのメッセージを含み、その場と絵の組み合わせが、さらなる意味を生み出し得ること、そして、私的作品が公共空間を不法的に「占拠」することにより、そのメッセージ（壁画）が政治的メッセージ（事件）であることを、住民や公権力に気づかせることにあります。たとえば、ディズニーとマクドナルドを揶揄するその風刺を人目にさらすことは、それだけで事件になります。

それは本来であれば誰かのつかの間の夢にすぎない「私的欲望」が、資本主義文明の「独占」による人々への押しつけ（悪夢）として機能していることを、気づかせる痛烈なメッセージを含んでいるのです。このようなBanksyの「政治権力」「資本主義的成功」への生きるアンチテーゼは、現状に不満を持つ多くの人々の興味と関心を湧き起こし、表現に対する畏怖と勇気さえもたらしているのです。

ファッションが、ストリートの先端に表れるためには、欧米圏に根づく、人種、民族、階級、貧富の差を表象させるモードが、文化コードとして機能しなければなりません。Banksyは、無意識下にあるそうしたモードをストリートに再現することに見事に成功しているのです。それは日本におけるファッションが単なる集団的模倣による同調現象で終わるのとは異なり、ストリートに関わる一人の作家の「政治主体性」が、多くの人々の「文化主体性」を覚醒させ続けているといっても過言ではないでしょう。

おわりに　日本における「ストリート壁画」の制作環境と風刺性

では、日本における壁画制作はどのような意味をもつのでしょうか？　それは大別すると四つほどの流れがあるようです。一．官庁、民間組織主導の国際交流、二．自治体による市民、学生交流、三．自治体と制作企業（機関）の連携による文化事業、四．私企業によるキャラクターの展示などがそれです。もちろん、このような取り組みは、世界でも広くパブリック・ユーティリティズ、メセナの一環として取り組まれています。

たとえば一は、ジャパンアートマイル協同参加の「アートマイル国際交流壁画共同制作プロジェクト」などが典型です。日本の子どもたちをグローバル人材に育てることが目的で、東京都立田柄高校の生徒たちが「3.11による震災・津波・原発」の悲しみと未来への希望を壁画に込め、カナダの高校生たちの作品とともにパリのユネスコ本部に展示したことで知られています。

二は、自治体が市民、美大生、専門学校生とともに、落書き防止のために公共空間の壁に絵を描くプロジェクトなどがありますが、奈良県の西大寺では、小学生と県職員が落書きだらけの歩道の擁壁を清掃した後に、壁画を描くプロジェクトとなり、公共心を子どもの頃から身につけてもらう教育的効果も配慮されています。

三は、大阪堺市が、日本ノボパン工業株式会社の工場壁面に完成させた日本最大面積の壁画事業が有名です。市の入札により壁画制作会社が選定され、町興し、観光の拡大が目的で、「浪漫やさかい〜時代を越えて通じるロマン〜」のテーマのもと、凸版印刷株式会社西日本事業本部関西情報コミュニケーション事業部が落札し完成させました。

四は、ＪＲ高田馬場駅のガード下にある手塚プロダクションが手掛けた「手塚キャラクター」

壁画、東宝スタジオの巨大壁面に描かれたゴジラ壁画などが有名です。キャラクター文化が隆盛な日本では、今後企業イメージ戦略とあいまって、拡大してゆく可能性があります。

このように見た場合、日本における「ストリート壁画」の可能性は、自ずと誰かの責任管理下にあり、予め目的と効果が期待される予定調和、広告宣伝の意味の範囲を超えることはありません。残念ながら、日本ではPaulo、BUL、Banksyなどに代表される「アナーキー」な作家が育つ素地はとても少ないと思われます。ただ一つ、岡本太郎、会田誠の流れにあるChim↑Pom（チン↑ポム）などの制作集団がその風刺的刃を今後もストリートに向けてゆくならば、紙や額の世界におさまっている風刺滑稽画にも影響を及ぼし、あらたに世界が開ける可能性がでてくるのかもしれません。しかしながら、すでに風刺滑稽画が、社会に影響を与え、事件となるような社会文化的下地（モード）が機能しなくなった日本では、それは若者が描くイラスト、ストーリーマンガの表紙（扉絵）同様の「一枚絵」としての価値を有する位置（ジャンル）を超えることは、とても難しいものと思われます。

しかしながら、文化人類学者の中沢新一は、小松和彦らと翻訳したC・アウエハント『鯰絵民族的想像力の世界』の「解説」のなかで次のように指摘しています。江戸期の「鯰絵を前にして、そこに表現されている知性のたくましさ、洒脱さ、高さに驚かされる。そして同じ大震災を経験した現代日本人との知性における落差に、気づかされることになる」。

もしかすると、私たちは日本独自の「風刺的知性」が自らの歴史的文化のなかに眠っていることを忘れてしまっているだけなのかもしれません。

図１：http://www.huffingtonpost.jp/2014/05/30/world-cup-2014-anti-fifa-graffiti-brazil_n_5415320.html
図２：http://blublu.org/sito/walls/2010/big/004.jpg
図３：http://blublu.org/sito/walls/2009/big/015.jpg
図４：http://blublu.org/sito/walls/2007/big/035.jpg
図５：http://www.woostercollective.com/bcans1.jpg
図６：http://www.cbc-net.com/log/?p=7427
※URLはすべて、2014.10.8現在
BUL 公式ホームページ http://blublu.org
Banksy公式ホームページ http://www. banksy.co.uk

風刺画の現前性と公共性についての覚書
――「ムハンマド風刺画」から「シャルリ・エブド」襲撃事件へ

はじめに　図版掲載は果たして可能か？

覚書にあたり、ムハンマドの風刺画及び「シャルリ・エブド」の図版掲載は可能か否か？カートゥーンマガジン「EYEMASK」は日本の他の紙誌と同じように掲載を「自粛」するのか、それとも、モザイク処理や白消しをおこなった第三書館発行の話題の書『イスラム・ヘイトか、風刺か―Are you CHARLIE?』のような形で掲載するのか？　その関心は増すばかりです。

公共空間では自粛される出版表現が、インターネット空間においては即座に垣間みることが可能な時代、「表現の自由」が抱える矛盾を公共性と私事性の二重性（差異）として考えた場合、それは書き手、画き手だけでなく、出版者自身の資質もまた鋭く問われる時代になっているといえそうです。

1　「ムハンマド」風刺画に起因する私たちの違和感

たとえばGoogleで〝Muhammeds ansigt〟と画像検索すると、画面全体に無数の〝ムハンマドの顔〟が現れます。私たちはデンマークのユランズ・ポステン紙が、二〇〇五年九月三〇日に掲載したムハンマドの「12のカリカチュア」をわずかワンインプットとワンクリックで即座にみることができるのです（その意味でいえばわざわざ日本の紙誌が危険を冒してまで掲載する意味は薄れたのかもしれません）。この12の作品のうちの一つは、イスラム教の開祖・ムハンマド自身をイスラム過激派にたとえ、その教義を火のついた導火線＝爆弾風ターバンに摸しました。それはとりわけイスラム社会に衝撃を与え、作者である漫画家クルト・ベスタゴーは、多くの抗議とともに、命を狙われる生活を強いられるにいたりました。

しかし、もはや神仏習合的な「神道」と「仏教」、生き方としての「武士道」などを、消費生活に満たされる日常の儀礼、習慣、生活のなかに、わずかに残している私たち日本人は、ムハンマドへの侮辱が、どのような罪に値するのかを理解することも、またイスラム教徒の屈辱感を想像することは可能だとしても、心よりその痛みを感じ取ることは難しいものと、いってさしつかえありません。また、絶対的権利の一つとして「宗教批判」に固執する欧米の有識者たちの言動にも、首を左右に振らざるを得ないのが私たちの正直な反応なのではないでしょうか。

2　イスラム世界の「風刺画」への反応と反発

「風刺画」を語る上で、一般的によく語られていることに、キリスト教の偶像崇拝禁止と「聖画」の関係があります。ユダヤ教の戒律を受け継ぐキリスト教は、イエスを偶像として崇めることを禁止し、その教えを言葉の力により広めようとしたということについては、誰がみても間違いがない事実と思われます。しかし、マリア信仰などとともに、その像は超自然的な力、神的な人格を有する「偶像」として聖画（イコン）化され、普及する道をたどってゆきました。それに対してイスラム教は、偶像を「虚像」として認知し、厳しく唯一神アッラーを具象化する行為を禁止しています。また預言者ムハンマドはアッラーの使徒であり、ムハンマドを描くことは、預言者を神と称える行為にもなりかねないため、一般的に禁止された行為とみなされています。

キリスト教文化圏では、言葉の力のもと、画像の力はそれを下支えし、イスラム教文化圏では、厳しい偶像崇拝禁止のもと、預言者を描くことができないのが現状であり、宗教教育上でも、理解を促すために画像を用いることはなく、すべては言語の力によってのみもたらされているのが通例です。ここに、イスラム教徒は、自らは冒してはならない戒律を「異教徒」が侮辱し、神とともにある自身の人格と人間性が、その風刺画により二重に否定されるという屈辱を味わっているように思えます。

3　表現の自由か宗教生活の理解か

西欧文化を理解するうえで、避けて通ることができない価値観が人権についての考え方です。西欧の人権概念は、一人ひとりの人間が有する基本的権利に関して絶対的な判断軸として機能しています。それは「風刺的表現」に関していえば、自由権として、信教・思想・良心・言論・表現・出版・結社・通信の自由までを保障する機能を担っています。基本的人権の命源は、一人ひとりの人権を擁護する立場から、殺人、名誉棄損、民族差別、人種差別を禁じる法を生み出すことになりますが、フランスでは一九〇五年の「政教分離法」以来、個人への攻撃、差別、侮辱にならない限り、宗教批判は他のイデオロギー批判同様、公共の場において許されるものとなりました。公共の場は世俗であり、聖なる場ではもはやあり得ません。しかしながら、ムスリムにとって聖と俗は自身の生命と生活、公共の場において一体です。すでに聖俗一致の社会から脱出し、またキリスト教文化圏ほどの「規律社会」に生きることのない私たちからすれば、ムスリムの暮らしは大変息苦しい毎日のように思われますが、常に神とともにあり、神の許しのもと、人間として生きることが自由であり、幸福への道である彼らの実感を、私たちはなかなか理解することはできません。

現在西欧各国には約四五〇〇万人のムスリムが住み、そのうちフランスには五〇〇万人が居住しているといわれますが、いわゆる「自由・平等・博愛」がムスリム全体へ浸透することは難しい。となれば、労働力として移住を余儀なくされたムスリムの生活と文化を保証することは、欧米社会の現実においてこれから、どのようにすれば未来にわたり可能なのでしょうか。「移民問題」そして「イスラム過激派」の世界への拡散は、表現の自由と聖俗一体の間に潜む、信教、文化、生活習慣を超えた「構成世界のパラダイム」の異なりを理解すること、そしてまさしくその共存可能性を問い、そのための新たな共役可能性の実践を私たちに促しているようにも思えます。

4　シャルリ・エブドの「表現の自由」と「自由な表現」

二〇一五年一月七日の「シャルリ・エブド」襲撃事件に際して、Je suis Charlie「私はシャルリ」なる言葉が世界に飛び火し、フランスでのデモ参加者は数百万人に達しました。参加者のほとんどは、西欧社会が育ててきた「表現の自由」を支える「民主主義」の原理が、危機にさらされていることを感じ取ったために参加を促したと思われますが、そうなればシャルリ紙が掲載している長年にわたる風刺画の中身は一体どのようなものであったのか？　それがとても気になってきます。

Googleで charlie hebdo と入力、検索しますと、「シャルリ・エブド」紙の無数の風刺画とその関連画像がでてきます。国内外のジャーナリストの多くが書いているように、その作品は「下品」なものが多く、風刺ではなく侮辱、屈辱を与える冒涜との評価が多数あります。そんな「シャルリ・エブド」ですが、過去にはムスリムだけでなくユダヤ教、カトリックへの攻撃も盛んにおこなっていました。それが原因になり二〇〇八年には「反ユダヤ的」と評されたベテラン漫画家モーリス・シネが解雇され、それを機に元「シャルリ・エブド」のジャーナリスト、オリヴィエ・シランが二〇一三年に述べているように、二〇〇一年9・11以降、徐々に増えたイスラム嫌悪派が急速に社内を支配し、権力者とは関係のない一般信者までその嫌悪の対象として扱うまでに増長するようになりました。たとえば、それは裸で四つん這いになったムハンマドと思しき人の肛門を☆（知識）で表現し、「スター誕生」とキャプションを入れたり、ターバンを巻いたムハンマドの頭部を白尻に変え、裸で寝そべらせた本尻の上に立つカメラがその頭部を撮影するキャプションに「ムスリム世界のフィルム」とキャプションをつけるなど、もはや笑うことができない単なる悪ふざけへとエスカレートし、加えて、「シャルリ・エブド」の風刺画家（編集者）とムスリムがディープ・キスをし、「愛は憎しみよりも強い」などのキャプションを入れる自虐的な開き直りをおこなうにいたりました。

「シャルリ・エブド」は、イスラム教徒への攻撃をおこなうだけではなく、黒人であるフランス司法大臣のクリスチャーヌ・トビラを猿に見立て描いたり、同性婚を揶揄するために、精霊がイエスの「カマ」を掘り、裸のイエスが「神」の「カマ」を掘るえげつない「風刺画」なども掲載しています。

その無軌道ぶりは、イスラミックステートのメンバーらしき目出し帽の男がムハンマドと思しき人物を斬首する風刺画のように、イスラム過激派が、ムスリムを代表するものではないことを意味するなど、時には「まとも」な風刺画を掲載することがあることも忘れさせてしまうほどです。このことから私はシャルリのカードを掲げて、デモ行進に参加した多くの人々は、「シャルリー」の自由な表現を全面的に支持しているわけではなく、襲撃行為そのものが「民主主義」を奪う暴挙であることに反応し、呼応したものと容易に想像することができます。

5 「シャルリ・エブド」という「試金石」

志葉玲の「【仏紙襲撃テロ】一面的な報道では分からない『私はシャルリー』イスラム教徒達の葛藤（志葉玲）Y!ニュース」http://bylines.news.yahoo.co.jp/shivarei/ には、「シャルリ・エブド」襲撃事件が、メディアによる欧米とイスラム世界の対立を煽る格好の材料にされている傾向を見逃してはならないとの記述があります。圧倒的多数のムスリム、イスラム法学者たちは、原理主義にたつ過激派によるテロ、誘拐、殺人に反対しており、イスラム教が「平和な宗教」であることを唱えています。本来であれば欧米はムスリムと手を携え、テロを抑制するてだてをとれるはずですが、事情はそう簡単ではありません。

ムスリム全般を偏見で歪める「シャルリ・エブド」の風刺画は、イスラム過激派にテロの口実を与え、なおかつムスリム一般の心象を傷つけるものとなっています。それから判断できることは、憎しみの連鎖を生む言論、「表現の自由」の内容そのものが、あらためて見直されなければならない時代に世界は到達しているというものです。それは欧米のイスラエルへの配慮、アラブ世界、イスラム文化圏への差別と偏見を見据え、それこそ憎しみの連鎖を結果的に断ち、各国為政者たちに関係改善を促すための「風刺」、すなわち共生のためのメッセージとしての風刺が求められているのかもしれません。

翻って日本の現状はどうでしょうか? もともと「自主規制」のもと、過激な表現はアンダー・コントロールされているお国柄にあって、強烈かつ教条的な風刺表現はあまり好まれません。風刺表現はある種、芸として生き残ってゆく道を歩んでいるものと思われます。それは、本来正しいとされる価値観や絶対的な権威をひっくりかえし、その背景にある社会や文化、政治・経済の構造を具現化するだけでなく、風刺対象者、当事者を驚嘆させるとともに、時代状況を鋭く読者に知らせ、その改善を促すような知性、ユーモア、そしてある種の対象への憎しみを超えてゆくかのような情愛、すなわち権力者の歪んだ人格を溶解し、包摂しうる普遍的な力を必要としているのかもしれません。言い換えれば、それは風刺画の「現前性」に加え、あらたな「公共性」の出動を私たちに要請しているかのように思えます。

若い担い手が「風刺表現」そのものに興味を抱かないこと、風刺表現が民主主義社会を健全に保つために必要とされることへの認識が少ないことなどから、確かに「後継者」不足がこの「業界」にもあるようです。しかし、そうであるからこそ、時代はますます、カートゥニストがその全人間力をもって事象、対象に向き合うことのできる、とてもやりがいのある仕事（job, labor ではなく work, play）として注目される次期に達しているように思われます。

第二章　日本におけるカートゥーン・ルネサンスは可能か？

――風刺精神の衰退にともなう「社会文化」空間の変容――

はじめに

東日本大震災と原発事故（二〇一一年三月一一日）から一年半の時間が過ぎ去った。この間、マスメディアによる原発報道は、マスコミがもはや「正常」に機能していないことを白日の下にさらけ出してしまった。このような四大新聞、地上波テレビをはじめとするマスメディアの報道姿勢のあり方は、戦後日本の社会文化空間から「風刺精神」が希薄化してゆく過程にそうものであった。本章はその流れを受け、「風刺・滑稽」精神を担保するカートゥーンが発表される場を主に新聞、雑誌と定め、「文藝春秋：漫画読本」の休刊（一九七〇）を境に、物語性の強いストーリーマンガが、媒体数、作品数、読者数でカートゥーンを圧倒し続け、作品掲載の機会が減少の一途をたどっているその現状を論考の前提としている。カートゥーンの影響力は、新聞メディアと雑誌メディアの両域において極小化していると言わざるを得ないのである。

この小論はこのような現状を受け、主にカートゥーン（諷刺・滑稽画）と現代マンガ（劇画・ストーリーマンガ）を比較、対照することにより、「風刺精神」の衰退の要因を明らかにすることを目的としている。それは同時に、物語マンガ全盛の時代に描かれるカートゥーンの生き残りをかけた道筋を探るものとなる。

1　カートゥーン表現と笑い

そもそもカートゥーンというメディアを位置づける前に、風刺、滑稽はどのような意味合いをもつのか、その基礎について知らなければならないだろう。風刺は「個人の愚行、政治の欠陥、社会の罪悪などに対する批判や攻撃を、機知にとんだ皮肉、あざけり、あてこすりなどの形で表現」(ブリタニカ国際大百科事典)することであり、滑稽は「笑いの原因の一つであるが、両者の間に一定の関係は認めえず、笑いを伴わない滑稽も存在する。滑稽を感取するにはその対象との利害を離れた一種の無関心性が必要であるから、それは本来的に美的契機を含んでいる」(同上)とある。

以上のことを簡略していえば、「風刺・滑稽」とは、個人、政治、社会の不具合に対し、第三者的に眺め、対象化することによりある種の客観性を確保しつつ、その皮肉を笑いに昇華するもの、ということができる。その笑いは、R・カイヨワの「遊び」の分類を参考にすると次のような区分けが可能になる〔表1〕。縦軸は、「自力」「他力」、「自我」「脱我」という「笑いの主体」を示し、横軸は、「風刺性」「戯画性」、「奇想性」「哀愁性」という「笑いの内容」をさすものになる。この組み合わせでは、「自力」と「風刺性」から「機知」が生まれ、「他力」と「奇想性」から「滑稽」が生ずることになる。また「自我」と「戯画性」から「嘲笑」が生まれ、

「脱我」と「哀愁性」から「諧謔」が生ずることになる。笑いの要素は、ひとまず「機知」(場に応じた気の利いた対応)、「滑稽」(面白く、ばかばかしい様)、「嘲笑」(あざけり笑うこと)、「諧謔」(しゃれや冗談、ユーモア)の四要素からなると考えられる。

それは、面白く、ばかばかしい様を、その場に応じた気の利いたしゃれや冗談、ユーモアをもって笑いの対象とすることから生ずるものとなる。

2 カートゥーン表現の特性と物語マンガ

カートゥーンは、このような笑いの諸特性を、絵画表現、または漫画表現(ひとコマ)によって再現するものである。カートゥーンは、その成分として特に強い風刺性をもつもの(カリカチュア)と柔らかな滑稽性をもつもの(ユーモア)を含むものである。それは既述のとおり、表現対象を選定し、風刺と皮肉を込め、戯画化し滑稽化する。批判対象は、権力者個人の場合もあれば、権力間の勢力争い、権威を象徴する団体やその関係性に向けられることもあ

	自力	自我	
風刺性 (caricatural)	機知 (wit)	嘲笑 (ridicule)	戯画性 (travesty)
奇想性 (fanciful)	滑稽 (comic)	諧謔 (humour)	哀愁性 (pathos)
	他力	脱我	

表1　諷刺・滑稽の分類

る。一言でいえば、権力、権威の本質を暴露し、その存在を貶める機能を発揮するものがカートゥーンの主作用である。カートゥーンは一枚の絵のなかに、その時間と空間を圧縮し、時代の記憶を蘇らせ、人々の嗜好性を露わにし、社会の実在感を浮き彫りにする働きをもたらすのである。この作用によって、今、この事件性、政治性、社会性がイメージとして読み手にもたらされることになる。一方、現代マンガ（物語マンガ）は、画を「コマ」によって分割、連携することで意味をもたらすメディアである。その作用により、物語マンガは、人生を追体験するドキュメンタリーから、趣味、実用の蘊蓄を兼ねたもの、空想世界を描くファンタジーまで、様々な形式と内容を備えることが可能になった。それは物語内容に風刺性を含む場合もあるが、多くはキャラクターへの同化をともなう「脱日常」「非日常」「脱我」作用が強い「笑いと涙」を求める読者の感動を誘うものが主力である。ここに、カートゥーンとマンガは、同じ漫画でありながら、各々その表現対象に触れる際には、対象化と同一化という読者主体の異なる取り組み姿勢を露わにすることになる。それは、読書に際して能動的読解と受動的読解の異なりをもたらすことにもなる。

3　カートゥーンにおける風刺表現の定型

それでは、カートゥーン表現は、どのような表現の特徴（定型）を生み出してきたのだろうか。ここでは、主に個人を対象とした風刺表現の定型について考えてみたい。それはおおよそ五つに大別することができる。一つは動物化、二つめは昆虫化、三つめは静物化、四つめは女体化、五つめは骸骨化である。一と二は人間を「下等生物」にたとえるものであり、三は、人間でないものを人間にみたてる「擬人化」ではなく、人間を物にたとえる「擬物化」の手法（直癒）がはかられ、四は、男性の優位を女性の劣位をもって表す男女変換を基本とするある種の「換癒」表現であり、五は、部分（骨）で全体（人間）を表現し、生きている人間を死人扱いする「提癒」の手法がとられることになる。

たとえば有名な「風刺表現」に、動物化と女体化の手法を組み合わせた「驢馬法王」（ルーカス・クラナッハ：一五二三）〔図1〕と「ルターと悪魔が奏するバグ・パイプ」（ショーエン：一五三五）〔図2〕がある。前者はプロテスタント側からカトリックに宛てられたメッセージ、後者はカトリックからプロテスタントへのその返信として受け取ることができる。(2) それは、ローマ法王を爬虫類の鱗からなる女体で表現し、その愚かさを頭部の驢馬、その下等な態を馬の

図1　驢馬法王

蹄と鶏の脚、その悪魔の行状を尾で表す一方、魔物に入れ知恵され、操られているルターを悪魔の化身として描いている。西欧における絵画的風刺表現は、この例にみられるように大変直裁的である。また一七世紀に彫刻家、建築家として活躍したベルニーニ（一五九八～一六八〇）は画家としても有名だが、聖職者を狡猾な「ふくろう」にみたて、歩兵隊長を白痴な「亀」のように描いた。「動物化」は風刺画の手法としても一般的なものであったのである。

図２　ルターと悪魔が奏するバグ・パイプ

次に静物化と骸骨化の例をあげよう。「静物化」で著名な風刺画家は一九世紀に活躍したドーミエ（一八〇八～一八七九）である。『カリカチュール』『シャリバリ』誌上で、ルイ・フィリップ王の顔を「梨」にたとえ、梨顔に変貌するそのユーモラスな筆致が、その間抜けな相貌を暴き出し、著しく王の品位を汚すものとなった。「骸骨化」の例は、古今東西、多数の事例があるが、大日本帝國憲法の権威を貶める宮武外骨（一八六七～一九五五）の「頓智研法発布式之図」（画・安達吟光：一八八九）が有名である。骸骨化した「明治天皇」から外骨が「勅諭」を賜るという「不敬罪」極まりない風刺画であり、これにより外骨は禁固刑を受けることになった。

以上の例にみられるように、カートゥーン表現の真髄は本来熟慮を必要とするものではない。対象物を突き放し、揶揄した上で、直裁なインパクトを読者に与える、わかりやすいものであるがゆえに、逆に時代、政治、社会に対する「思慮」を導き出す役割を果たすのである。

4 日本におけるカートゥーン衰退の要因 ——西欧風刺精神の定着をめぐって

では、前節でみたようなカートゥーンは、なぜ日本では後退、あるいは衰退してしまったのだろうか？ まずはカートゥーン（ひとコマまんが）がコミック（劇画・ストーリーマンガ）に人気を奪われてゆく時代を見据える二人のカートゥニストの発言をみてみよう。その一人、水野良太郎はその原因を三つほどあげているが、それは主として外部要因である。一つは、日本の漫画家がカートゥーン本来の表現形式にこだわらず自由に描くことを楽しみ、解説で画の魅力を補完するという「本末転倒」の手法がとられたこと、二つめは、ストーリーマンガの面白さになす術もなく、自らがストーリーマンガの熱心な読み手になったこと、三つめは、原稿料が安く食べられないために、デザイン、イラスト、絵本、挿絵をはじめとする「他業種」への転換を余儀なくされたことがそれである。

また片寄みつぐは、その原因を内部要因として三つあげている。一つは、日本の漫画家が創意工夫を怠り、新たな表現技術開発をなさなかったこと、二つめは、カートゥニストとしてのプロ意識、社会風刺の使命の希薄化による漫画産業界との妥協、三つめは、ひとコマまんが家内の利権の確保、小規模化するカートゥーン市場を仲間うちで分け合う「もたれ合い」が常態化したことがそれである。(3)

このような指摘は、江戸期までの日本の「風刺・滑稽」画の伝統と明治期以降の西欧風刺精神（文明の精神）の象徴としてのカートゥーン導入との矛盾を如実に表すものとなる。江戸期までの日本の絵師は、牧墨僊（一七七五〜一八二四）の「狂画」を特例に、風刺表現よりも滑稽表現を得意とし、浮世絵は天保の改革（一八四一〜四三）を機に幕府の政権基盤が弱まると、ようやく風刺表現をその表現内部に自覚的に形成しはじめる。たとえば歌川国芳（一七九七〜一八六一）と弟子筋の絵師達（芳虎・芳艶・芳員・芳藤・芳幾・芳年など）が政治批判を笑いにくるんだ錦絵を製作することになる。国芳の天保改革の風刺画（判じ絵）「源頼光公館土蜘蛛作妖怪図」は、源頼光が土蜘蛛を退治する武者絵であるが、天保の改革をなぞらえ、あてこすりをおこなっていることは有名である。この国芳一門から、狩野派に学んだ反骨の風刺画家・河鍋暁斎（一八三一〜一八八九）が独立し、最後の浮世絵師であり、かつ西欧風刺精神を取り入れようとした小林清親が生まれている。

しかし、日本の「風刺画」的伝統は、冷徹に対象を眺め、客観視することから対象そのものを極度にリアルに描くこと、あるいは極端なデフォルメ（記号化）により、その本質を暴露し、心臓をえぐり取るような表現は見当たらない。動物化や骸骨化の手法に際しても、風刺対象を婉曲的に、ユーモラスに描く特徴が多々みられる。ここに戦後日本におけるカートゥーン表現が衰退したかのように思える社会現象は、別の見方をすれば、西欧的な「風刺画」（カリカチュア）が根づかなかった証拠とも言い換えることも可能になる。むしろ、赤本、青本、黒本などの物語的伝統と「挿絵」が一体となった「草双紙」の伝統が、戦後日本の劇画、ストーリーマンガと地続きであることのほうが自然のようにさえ思われるのである。(4)

5　日本におけるカートゥーン衰退の要因　――政府による文化政策の推進

いわゆる「大人マンガ」であったカートゥーンと子どもマンガであった「ストーリーマンガ」の対立が、劇画の登場による前者の「衰退」と後者の「発展」により無効になるとともに、いわゆる「大人×子ども」「漫画×劇画」という対立図式は後景に退き、マンガ作品全般の進展がもたらされることになった。それは作品の物語化とビジュアル化を通して、マンガを「文学」や「芸術」の水準にまで引き上げる「資格」を現代マンガ家に与えることにもなった。

その背景には、マンガ原作のアニメが、七〇年代に先行して海外に輸出されるとともに、八〇年代以降、数々のマンガ作品が翻訳され、さらに「アニメ化」が進むことで原作マンガの評価が、海外でさらに高まっていったことがある。六〇年代、七〇年代には日本を代表する大衆文化であるがゆえにサブカルチャーに属していたマンガは、海外での評価に支えられることにより、二〇〇〇年代には「メディア芸術」という概念に、アニメ、ゲームなどとともにくくられることになる。それは突如現れた「定義」ではなく、九〇年代、すでに準備されていたものである。

それは文科省『高等学校（中学校）学習指導要領』（一九九三年三月）による「メディア芸術」の記載、文化庁次長通知「文化政策推進会議提言の送付ついて」(庁房総第九三号：一九九四年一月）による「二一世紀にむけた新しいメディア芸術の振興について」、文化政策推進会議・文化庁主催：マルチメディア映像・音響芸術懇親会による「二一世紀に向けた新しいメディア芸術の振興方策について」の提言などにまとめられていた。

二〇〇〇年代になるとその動きはさらに活発になり、マンガ、アニメーションを芸術分野の一つに位置づける文科省『教育白書』（二〇〇〇）、映画、漫画、アニメーション及びコンピュータその他の電子機器等を利用した芸術（以下「メディア芸術」）と定める文化芸術振興基本法第三章九条（二〇〇一）、マンガ、アニメ、ゲームの世界観に内在するいわゆる「かわいい文化」コンテンツの世界戦略を推進する産経省「COOL JAPAN戦略」（二〇一〇）により、国の重要な文化に位置づけられることになる。それは「かわいい・萌え」のパッケージ化によるコンテンツ産業振興の基礎となったのである。

この流れのなかで、物語としての現代マンガが日本固有の「絵巻物」の現在形として認知され、日本では一枚マンガとして進展してきたカートゥーンは本来属していた「芸術」(絵画)ではなく、「メディア芸術」のなかに、すなわちマンガの一ジャンルとして事実上再規定されることになった。

6 日本におけるカートゥーン衰退の要因 ——読者主体の変化

このような国の文化政策の推進は、多コママンガ(ストーリーマンガ)が媒体数、作品数、読者数においても、一枚マンガ(カートゥーン)を圧倒する市場を形成したことを前提にしているが、一九六〇年代から五〇年の歳月を経た今日、その変化はマンガ読者の主体性にも著しい影響を及ぼしている。

カートゥーンの風刺性を解読するためには、読者は対象を客観視し、その本質を露わにするような「みたて」、すなわちイメージを具現化するカートゥニストの意図に、自らの主観を重ね合わせながら、風刺対象として描かれたキャラクターの出自、性格、環境に関する予備知識を、その「事件性」や「社会性」に照合させなければならない。特に歴史的なカートゥーンに接するときは、それ相応の関心が教養とともに備わっていなければカートゥーンを読む楽しさは生じないのである。

しかし、現代マンガは、物語を語り、見せる技術に優れるがゆえに、本来、時代、社会、創作環境に左右されるはずのキャラクターが、読者の強いキャラクターとの「同化＝思い入れ」により、物語「背景」から切り離され、独り立ちしたキャラによって支えられているメディアである。それは、読者（オーディエンス）が対象（オブジェクト）を見据え、突き放す作用をもつカートゥーンではなく、読者（プレイヤー）が登場人物（アクター）に付き添い、案じ、感情を交流させる物語マンガ（マンガ、劇画）へと展開しているのである。

読者は、主体─客体としてその認知プロセスを批判的に踏み進めるのではなく、物語参加の条件として準主体─準客体関係の行程に心地良くその身を置くことになる。[5]意識的にカートゥーンを読み解かなければならなかった読者は、この変化において無意識にマンガ世界の住民になることが、やすやすと可能になったのである。この新しく強力な認知プロセスは、インターネットをはじめとする電子コミュニケーションの時代において、一見人間のもつ「風刺力」をその精神の存在もろとも破壊してゆくような過程に見間違えられるほどである。

では、このような物語マンガ全盛の現代において、カートゥーンを読み解く「回路」が再び読者内部に形成されるためには、どのような条件をもってそれは可能になるのであろうか？

7 カートゥーンを解読するためのキーポイント

カートゥーンを読み解くには、様々な前提を必要とする。読者は描かれた絵から、作者の動機、意図、内容の意味、描画の手法、作品の目的、テーマ、風刺の効力、滑稽の強度など、様々な要素を受け取ることになるが、そのためには作品の意味を読み解くための知識、教養が必須であり、それを得るための忍耐力が必要となる。もちろん、そのような前提を考慮せず楽しく読めるカートゥーンも多数存在するが、若者の多くが、カートゥーンに面白みを感じることのできない理由は、何よりも接触機会そのものが減少しているために、接し方がわからないことが要因としては大きい。たとえば大学のカートゥーンを読み解く授業で、その面白味が理解できない学生は、一様に「中学、高校の教科書に載っていた古ぼけた画」という印象を抱いている。カートゥーンは、絵画でもなく漫画でもない「古ぼけた一枚の画」というわけである。彼らにとって、カートゥーンに描かれた歴史上の人物はキャラクターではなく、感情移入が成立しないただのアイコン（icon：記号）であり、遠い昔の事件、社会的事象に関わる人間の一人にすぎない。それに比べると、若者が魅せられる「少年ジャンプ」のキャラクター（人格）は、彼らの感情移入、同一化を可能にするキャラ（分身）を生み出す物語的事象と一体である。

カートゥーンにおいては、まず絵柄と登場人物が認知上、二重に疎外され、その結果、描かれた世界の社会的事象の伝達が妨げられることになる。「少年ジャンプ」に代表される現代マンガは、まず絵柄、キャラクターが認知され、その物語的事象との深い関わりにおいてキャラへの同一化がおこるのである。カートゥーンを再生する試みは、まずこのような読者の「読み」の変化への対応が必要とされる。すなわち、それはカートゥーンが及ぼす風刺作用、「対象化作用」、「異化効果」に現代マンガが及ぼす親近作用、「一体化作用」「同一化効果」を、何らかの手法によって接続することはできないか、という問いを開くことになる。それは血がかよっていないただのアイコンにみえる登場人物（風刺対象）に「血をかよわせる」ことは可能か？という問いを用意することになる。(6)

しかし問題は、カートゥーンに登場するキャラクター「デザイン」にのみ収斂されるものではない。物語マンガを好み、カートゥーンの楽しみ方を忘れた私たちは、自ずとその嗜好性（指向性）を変質させているのである。

8　少年ジャンプの「物語性」とカートゥーンの「風刺性」

現代の若者の心を摑んでやまない「少年ジャンプ」の物語性が三つのキーワードから織りなされていることは有名である。「友情」「努力」「勝利」からなるその物語構成は、「友情」＝他者意識（共同性）と「努力」＝自己意識（内面性）の矛盾を、物語上の「勝利」＝目的意識（社会性）の追求によって発展的に止揚する役割を果たしている。それに対して、カートゥーンの風刺特性は、「滑稽」＝他者意識（対象性）と「諧謔」＝自己意識（主体性）の軋轢を「風刺」＝目的意識（政治性）において統一する。前者＝「少年ジャンプ」が常に他者との戦いにおいて勝者と敗者を生み出す現実世界において、各々が「仲間」意識（予定調和の安心感）を無条件に育んでいくのに対し、後者＝「カートゥーン」は常に他者を権力者にみたて、愚者にかりたててゆく「敵外心」（予測不能の嫌悪感）を生み出してゆく。現代人が身に降りかかる諸リスクを回避し、自らが批判対象にさらされないよう自己防衛的な行動をとることと、「予定調和」の物語性を好むことは、近代主体が世界との関わりにおいて社会を客観視する経験を減らし、能動的な主体が受動的な準客体に転換する「モダンの袋小路」が露わになっていることを意味するのである。

では、このように「予定調和」の安心感と「予測不能」の不安感の間に立たされる現代人は、いかに批判的な主体を再生することが可能になるのだろうか？　それはまず主体が批判性を回復しなければ、カートゥーンもまた再生不可能である？という問いを立てるよりはむしろ、読者主体が、一度「同一化」可能なキャラクターを透過しながら、再び批判性を獲得できるような道筋を探索することが必要になってくるだろう。

それは、本来人格をもたない漫画のキャラが、手塚治虫の「傷ついた身体」により、その内面性を獲得しキャラクターになり、さらにその内面性を「属性」として従え、再びキャラ（記号）に転換したように、[7]カートゥーン再生は、本来人格を備えているカートゥーンのキャラクターが、風刺精神の衰退とともにただのアイコン（icon：記号）と化してしまったことを逆利用し、物語マンガの「キャラ」特性（属性＝かわいい・萌え）を利用するプロセスから始まる。それは具体的には、カートゥーンが物語マンガのキャラの「親和性」を取り込みつつ、キャラクターを練りあげ、風刺対象にまで高めてゆく二段階の過程が必要になる。すなわち、読者主体の近代的、理性的自我をいたずらに鍛え上げようとするのではなく、カートゥーンにおけるキャラの「親和性」を通して「社会性」（キャラクター）を作品に描写する試みのうちに、カートゥーンのアイコンを親和的かつ社会的なシンボルにまで高めてゆく努力をおこなうことになる。

9　カートゥーンにおける同一化作用と反作用形成

物語マンガにおけるキャラクターの内面性は、戦後手始めに手塚治虫によって掘り下げられ、手塚に刺激を受けた少女マンガ家、劇画家の登場により深みをもつことになった。キャラクターは確かな物語性を背景に、劇的な人生模様を繰り広げられるようになる。一方、キャラクターは内面のリアル描写とともに、他方外形のデフォルメ化を自ら推し進め、キャラクターの内面性は物語背景から分離し、キャラクターの「属性」としてキャラ化してゆくことになる。いわゆる「かわいい」系から「萌え」系の絵柄に代表される現代マンガのキャラは、その外見がすべてであり、この外見に加えられた属性（性格のようなもの）こそが物語の事件性と社会性を表すすべてとなる。このことから現代マンガの物語は、この外面性の魅力と一体化しているために、キャラが立つことなしに、読者の誘因を継続することは困難になりがちである。

カートゥーン再生のポイントの一つは、批判的対象化の前提となるキャラ特性の親和的同一化手法の採用である。その事例として西田淑子の「『手塚治虫』を売りにする男達」があげられる。それは、手塚治虫という認知度の高い「絵柄」を通して、読者の興味を誘うことに成功している。その絵は手塚のトレードマークであるベレー帽に種々雑多なメガネをかけた「手塚治虫」が、小さな「業界」（ぶなしめじ）から雨後のタケノコのごとく生えている。私たちは親しみやすいその画風に目をよせると、一転作品内部に潜む毒にさらされることになる。「手塚を売り」に商売をする男達が、一パックの大安売りにかけられていることに気づかされるのである。ここにキャラクターへの親和性は、批判的対象性へと転化し、作者が描いたテーマ性が客観的に浮上してくる。

親しみやすい外形的キャラは、ここにキャラクター（内面性）を獲得し、風刺（毒）をその物語性（テーマ）として現象させることになる。記号的表象性を喚起する作者の意図は、読者の「気づき」を誘い、その毒を他者身体に送り込むことによって目的を達することになる。

さて、次の作品はマーティン・ハネセット「カワイイ」（kawaii）である〔図3〕。この一枚は、現代マンガ、イラストのもつ「かわいい」が、実は不気味で、汚く、恐ろしいものからできていることを喝破した作品である。かわいいライオンキャラは、恐ろしい猛獣にかぶせられた着ぐるみのカモフラージュであり、私たちは監視される「安全と安心」のなかで「かわいい」文化を堪能している。

そもそも「かわいい」とは、その言葉のなかに上から眼線の「可哀想」と、まぶしくて見られないほど光り輝いている「顔映ゆし＝かおはゆし」を含んでいる。この輝きは男性権威秩序を動揺させ、成人男性、とりわけ権力者に向けられる

図3　kawaii

場合は、それは憐みの視線をともない、男性権威を引き下ろす作用をもたらす。この意味から「かわいい」は男性権威を補完する「美」（かっこいい）に対抗することになる。「かわいい」は美と崇高の邪魔になり、美と徳の間を裂く可能性をもたらす。この意味からすれば、「かわいい」は現代社会における風刺表現を担う一翼となる可能性を備えている。(8)

10　メディア枠からの脱却と作家性の復元　——カートゥーン再生のための前提

さて、ここで前記の「少年ジャンプ」の枠組み、「友情」「努力」「勝利」の方程式に代表される物語マンガの枠組みとカートゥーンにみられる古いメディア表現の違いについて補足をしておく。カートゥーンの保有する強度な対象化作用は、ここ日本では、戦後メディアの機能、大量宣伝、接触過多、権威主義、多数者従属、情報回収不能性などの枠組みとの相乗効果による強固な共感共同作用の前に滅びつつある。(9)

それはカートゥーンの保有する強度な対象化作用とは正反対の効果を持つことになる。すなわち表現者は対象をよく観察し、その特徴を抽出の上、客観的（擬物的）に描写するのではなく、対象を主観的（擬人的）に表現することに長けているのである。それによって同じ漫画家であるカートゥニストと物語マンガ家は、作家性において大きな隔たりをもつことになった。そのため、本来カートゥーン制作の作法は、創案（テーマ想起）、意向（テーマへの読者誘導）、表現形式（テーマ表現のための画法）、表現技術（テーマ表現技法）、記憶（社会的、文化的共有性）、所作（掲載メディアの特性）を順に踏む[10]が、鋭い風刺性を呼び覚ます極度の対象化作用は、現代では一度、強固な主観化作用をくぐり抜けなければならなくなる。それはすでに述べたように、二重の過程を踏むことになる。一つは私たちが、情報化社会における極度の主観作用が織りなす「共感共同性」（かわいい＝萌え特性）の拡充の下で、近代理性主体が権力の本質を喝破し、社会悪を暴露する「対象化作用」を果たせなくなっている現状を認識し、またカートゥニストが権力者を単純にデフォルメし、社会現象を並列的にシンボル化せざるを得ない社会的背景があることを認知する過程であり、もう一つは、カートゥニストが魅力なきアイコン（記号的無味性＝不和性）へと貶めた「風刺対象」を、極度の主観化作用をともなうキャラ（かわいい・萌え属性＝親和性）へ転換させながら、再びキャラクター（風刺に値する人格性・批判に値する社会性）への反転を試みる過程となる。

現代カートゥーンに風刺性を呼び戻すために、カートゥニストはこのような「感性共同体」から生じたキャラの親和性を、極度に主観化された観念の束（共同主観性）として描写対象に意識的に投企しなければならなくなる。その試みを通して初めて、強度化された主観性は、新しい時代に見合う客観的対象性を獲得し、新たな風刺性、社会性を獲得する道を開くのである。

11 カートゥーン再生のために ——外部努力と内部表現の結合

「文藝春秋：漫画読本」の休刊（一九七〇）により、カートゥーンに身近に触れる機会は減少し、さらに読売国際漫画大賞の終了（二〇〇七）が、その傾向に拍車をかけた。だが、国内においては、コンテスト（まんが甲子園）、大学によるカートゥーンコースの存在（京都精華大学）、カートゥーン展の開催（東京新聞・日本新聞博物館など）、少なくないカートゥーン研究者の存在など、その灯はかすかに保たれている。そして「文藝春秋＝漫画読本」を受け継ぐ形でカートゥーン専門誌「ＥＹＥＭＡＳＫ」（蒼天社）が発行され続け、小規模であるが数々のカートゥーン展が開催されている。(11)

カートゥーン復興のためには、まず身近に触れられるメディアとしてカートゥーンを「外部化」してゆく努力が重要になる。それはまず大人が楽しみ、その面白さを子どもたちに伝え、笑いの文化循環のなかに、ユーモア、知的に洗練された笑い表現を蘇らせることが大切である。そのためには、物語マンガの「キャラ立て」の導入、物語マンガのパロディ手法の応用、「少年ジャンプ」的な強固な読者共同体のメカニズムを一コマに再表現する方法を取り入れながら、子ども、若者の興味を引きつけることが必要になる。また、作家—読者を結ぶ外部環境を整えるためには、中等、高等教育、大学教養課程におけるカートゥーンの教育利用、新聞、雑誌に

おけるカートゥーン掲載の復活、インターネットを活用した作品発表なども課題になろう。(12)

しかし何よりも重要なのは、カートゥーン作品そのものの再生、すなわち作品の質と量に関わる課題である。優れたカートゥーンは、笑いの前提として対象に対する「怒り」をその源泉としていたが、それは「嘲笑」から「滑稽」「諧謔」まで幅広い笑いの要素をともなっていた。しかし形骸化したカートゥーン作品は、すでに怒りもなく、笑いそのものの強度も低下してしまっている。ここで考えられることは、カートゥーン再生の鍵が、すでに消えかかっている怒りを笑いに転化するプロセスを踏むのではなく、笑いを通して怒りを再生することにあるということである。強烈な笑いは、作品に描かれた風刺対象の権力性、権威性、欺瞞性、偽善性などを読者に想起させる。笑いは再び風刺本来の目的を呼び覚ますことが可能になる道を切り開く。そのためには、カートゥーンによる風刺（アイロニー）は、諧謔（ユーモア）と滑稽（コミック）を、作品内により明晰に、明快に織りなさなければならない。

さらに、このような趣旨にそうカートゥーンが再生されることになれば、時間軸にそって視線を移動させるだけで気軽に読める物語マンガと異なり、笑いによって呼び覚まされるカートゥーンの毒は、以下のような新しい関心を広げることになろう。それは、誰もが知っていることではなく、知らないことを見つけようとする「好奇心」、誰もが興味をもっていることではなく、関心事を自分の力で探そうとする「自発心」、誰もが知っていることと比較し、関連づけた知識を身につけた上で世界を対象化する「再帰心」、自分が生きる世界、社会、時代を一度、主観化した上で、対象化する客観化のプロセスをコントロールする「自己意識」が、カートゥーンを読むことにより発生する可能性をもたらす。

但しこの再生過程において、陥りやすい罠についての自覚も必要である。それは、カートゥーンに接する際に、少数意見、少数者になるのを避けたいがために、多数意見、多数者グループには属しがたいがゆえ、その思考を自ら停止する「適応過剰」（読者が陥る罠）、カートゥーンを読み解くための教養、技術習得が自己目的化し、思考、表現の道具であることを忘れ、その作品評価、取得実態を厳密に数値化しようとする「リテラシー過剰」（創作者が陥る罠）、表現技術を教える側が意図的に特定のイデオロギーを学ぶ側に注入し、対象を客観的にみられないように作意をおこなう「イデオロギー過剰」（教育者が陥る罠）、評価側が意図的に、学ぶ側の嗜好性、指向性を発言、姿勢、評価などにより、抑制しようとする「コントロール過剰」（評価者が陥る罠）などについてである。(13)

以上、カートゥーン再生の糸口をみいだす記述をおこなってきた。カートゥーンの再生について語ることとは、暗にカートゥーン保護を目的とすることではなく、様々な社会的意味、認識論的視座、文化的関心を包含するものとなる。それは社会における風刺力の低下、政治文化の機能不全の事実のなかに社会文化の可能性を探るものになるのである。

文献

須山計一『漫画博物志 世界編』番町書房、一九七二年。
湯本豪一編『江戸漫画本の世界』日外アソシエーツ、一九九七年。
マシュー・ホジャート、山田恒人訳『諷刺の芸術』平凡社、一九七〇年。
Matthew John Caldwell Hodgart, Satire, George Weidenfeld and Nicolson Ltd, 1969.
ジェラール・ブランシャール、窪田般彌訳『劇画の歴史』河出書房新社、一九七四年。
Gérard Blanchard, la bande dessinée, Paris: Verviers, Gerardet Cie, 1969.
Clare Briggs, How to Draw Cartoons, New York and London : Harper & Brothers Publishers, 1926.
Lawrence Streicher, Elements of a Theory of Caricature, Comparative Studies in Society and History, 9 ,1967.
Medhurst & Desousa, Political cartoons as rhetorical form :A taxonomy of graphic discourse, Communication Monographs, 48, 1981.

註

（1）ロジェ・カイヨワ、多田道太郎・塚崎幹夫訳『遊びと人間』講談社、一九七三年、四三―四五頁。

（2）マシュー・ホジャート、山田恒人訳『諷刺の芸術』平凡社、一九七〇年、四三、七九頁。

（3）詳細は水野良太郎『漫画文化の内幕』河出書房新社、一九九一年、片寄みつぐ『戦後漫画思想史』未來社、一九八〇年、の論点をまとめた、小山昌宏『戦後「日本マンガ」論争史』現代書館、二〇〇七年、九三—一一二頁参照。

（4）安曇野ちひろ美術館編『絵本の歩み』「（3）花開く子どもたちの絵本」の項、鳥越信編『はじめて学ぶ日本の絵本史Ⅰ—絵入り本から画帖・絵ばなしまで』ミネルヴァ書房、二〇〇一年、一七—三三頁参照。

（5）ブルーノ・ラトゥールによれば、主体—客体という認識規範は、近代科学の発展とともに現れたものであり、人間以外のもの（自然、社会、テクノロジーなど…）は、客体であるが、同時に人間そのものと関係を結ぶことにより「準客体」となる。また人間は集合的な個人主体として「準客体」に関与することで「準主体」となる。詳細は川村久美子訳『虚構の「近代」科学人類学は警告する』新評論、二〇〇八年、九三—一〇〇頁参照。また主体と客体の「準主体化」「準客体化」に先駆けては、情報化社会の進展による主体の「情報的主体」から「情報間主体」への移行が前提になるが、それについては、小山昌宏『情報セキュリティの思想』勁草書房、二〇一一年、一〇五—一一六頁を参照。

（6）ここでいうアイコンとは、パソコンに常備されているデフォルメされていない「ゴミ箱」（デザイン）

をイメージするとわかりやすい。アイコンに親しみをもたらすためには、「ゴミ箱」に手足をつけることで歩きだし、蓋を開け閉めすることで「言葉を話す」かのような擬人化が必要になる。

（7）大塚英志は『アトムの命題―手塚治虫と戦後まんがの主題』徳間書店、二〇〇三年にて、内面性をもたないマンガのキャラが、内面性をもたらすきっかけとなる例として、手塚治虫『勝利の日まで』をあげている。ミッキーマウスに機銃掃射され、血を流す手塚自身の姿が、キャラのキャラクター化を物語る。また伊藤剛は『テヅカ イズ デッド―ひらかれたマンガ表現論へ』NTT出版、二〇〇五年にて、手塚の『地底国の怪人』をとりあげ、キャラクターが再び、キャラへと変化してゆく現代マンガの先例として解読を試みている。

（8）美術手帖［特集］かわいい：四八巻七二〇号（一九九六年二月号）「『かわいい』の系譜、「偏愛のマクロポリティクス」参照。

（9）渡辺武達は『メディアと情報は誰のものか』潮出版社、二〇〇〇年、九七―九八頁で、さらに「広告主優先による情報操作」「公開性、公共性に反するメディア資本化」「娯楽偏重化と報道のショー化」「非ジャーナリズム化」「市民参加の軽視」などをあげている。

（10）茨木正治『メディアのなかのマンガ―新聞一コママンガの世界』臨川書店、二〇〇七年、一〇七―一一二頁参照。

（11）カートゥーンマガジン「ＥＹＥＭＡＳＫ」とサブカルポップマガジン「まぐま」を刊行する蒼天社

とSTUDIO ZEROは二〇一三年よりカートゥーンを主とした合同展覧会を開催している。コロナ禍による中断に見舞われたものの二〇二一年には第七回展覧会を開催した。

(12) 小山昌宏「カトゥーンは本当に『マンガ』なのだろうか?―マンガとカトゥーンの長くて遠い間柄について」『ビランジ』第二九号、二〇一二年、一八―二三頁参照。

(13) 鈴木みどりは『メディア・リテラシーを学ぶ人のために』世界思想社、一九九七年、三五―三九頁で、メディア・リテラシーのあり方として、「参加と対話=グループ討論」「主体的学習=分析シート活用」「学びの習慣化=メディア・ログ活用」「形成的・総括的評価=教員―学生の関係性評価」を改善の要素としてあげている。

第三章　カートゥーンにみる「笑い」の真価

――ひとコマ漫画における笑いの効力とは何か――

はじめに

ひとコマ漫画の主要素が風刺と滑稽に大別され、その効能が多種多様な笑いによって確認される事実はもはや疑いの余地はないだろう。すでに筆者はR・カイヨワの遊びの分類を援用して機能別にカートゥーンの分類をおこなった。すなわちそれは、一．風刺性（caricatural）：当事者（主体）による対象の本質暴露を通して生まれるあてこすり・皮肉（wit/irony）、二．戯画性（travesty）：自我（自意識）による対象への悪意、その見取りにともなうあざけり・嘲笑（ridicule）、三．奇想性（fanciful）：他者（客体）による対象への働きかけにともなう現象と本質のズレから生まれるおどけ・滑稽（comic）、四．哀愁性（pathos）：共感にともなう脱我（無意識）状態がもたらす対象意識の希薄性から生まれるおかしみ・諧謔（humor）からなる。端的にいえば一は人を攻撃し、二は人を批判し、三は人を愉快・不愉快にさせ、四は人を幸せにする笑いである[1]。

それはまた、風刺性、戯画性が主体による対象への能動的な働きかけにより生まれるのに対し、奇想性、哀愁性は客体による対象への関係性、すなわちその受動的あるいは中動的な状態により生み出されている。前者はその指向対象が主体に返還される場合は自罰、自虐性、自己責任感をもたらし、後者は、その指向対象性が主体を内延とする場合は他罰、他虐性、連帯責任感をもたらすことになる。

本章はあらためてこうしたカートゥーンにおける笑い表現がもちうる真の価値について探求し、また現在、衰亡著しい日本のひとコマ漫画表現が社会においていかなる可能性をもちうるのかについて、その「笑いの効力」の意義を探るものである。

1　笑いの古典的定義と機能　ベルグソンの笑いの定義

アンリ＝ルイ・ベルグソンは、笑いについて四つの定義をおこなっている。[2] 一つめは、笑いは人間に由来するものであるがゆえに「ほんとうに人間的（humain）であるものを除いては、おかしさはない」と説く。動物の類似表現に「人間的」な枠組みをあてはめることから笑いの擬人化が起こるのもこの理由による。二つめは、笑いは無関心から発生し、無感動により目覚めさせられることから、笑いが「通常、笑いに伴う無感動さ（insensibilité）」から生まれるものであることを強調する。三つめは、笑いは共同生活の要請に応えるべき一つの「社会的機能」（fonction sociale）」であり、「われわれの笑いは、常に一つの集団の笑いである」ことを説いている。四つめは、笑いは社会生活の障害となる、精神的、身体的、性格的な《ぎこちなさ》を取り除くための《社会的身振り》であり、「生きたものにかぶせられた機械的なもの」（ズレ）であると定義づける。

つまりベルグソンの笑いは、「人間由来」すなわち人間に予め備わった先取的な行為の奔出であり、それは「無関心」から生じ、無感動にともなうその共通行為を「社会的身振り」とすることにより、「社会的機能」を生み、その「機械的ズレ」を発生させることにより社会生活を潤滑にするものと定義づけている。

戸坂潤はこれらの分類に対し、笑いの特性に基づき古典的な区分けをおこなっている。戸坂によれば、まず笑いは一つの原始的感情の表現であるが、感情として最も発達した複雑で高級なものである。ここでは笑いが生理の開放だけではなくそこに理性が介在するものと意味づけされている。次に、笑いの原因は事物の表面へ事物の裏面がつまみ出されて、この表面と裏面が対質させられると、吾々は笑わされると定義づけられる。つまり笑いは現象に本質が対照されるときに発生するのである。笑いは、表面と裏面が肯定と否定として対質させられ、その矛盾が露わになる際に、人間の原始的感情が生理から理性へとつらなる心身の働きによりもたらされるのである。

2　戸坂潤による笑いの定義

戸坂はさらに、笑いの機能を以下三点にまとめている。(3)

一．褒めるために一端クサす。暴露作用。これは「なごやかな雰囲気」を醸し出すユーモアであり、人を救う笑いである。

二．クサすために褒める。批判作用。これは「反語」から対象を「攻撃」するアイロニーであり、人を刺す笑いである。これにはウイット（機知）も含まれる。

三．肯定と否定が同在する矛盾。批評作用。「逆説」から対象を「批難」するパラドクスであり、人に気づきを与える笑いである。

戸坂の定義によれば、一は場を和らげる諧謔（ユーモア）、二は人を攻める皮肉（アイロニー）、三は人を糺す逆説（パラドクス）である。ここには人間の心理作用である協調と攻撃を通した逆説による「気づき」、すなわち笑いの弁証法をみてとることができる。さらに戸坂は、以下の通り続ける。

第一の場合は、駄洒落、スピード型ナンセンス、悪ふざけ、誇張表現などからなる「一般に現実からの逃避の意識を満足させるもので」ある。それは誇張＝ナンセンスにともなう逃避表現である。

第二の場合は、滑稽、現実のありのままに向かい合う勇気をもつ。「之が実は代表的なユーモアなのである」。それは滑稽＝ユーモアにともなう現実表現である。

第三の場合は、アイロニー＝風刺、批判からなり、逃避的なものに対比して批判的、楽観的な甘さに対する辛さ、苦さを提示する批判表現である。

このように整理すると、戸坂の定義では、一の段階は現実逃避の笑いであり、二の段階は現実直視の笑いとなり、三の段階は現実批判の笑いを生むことになる。一、二の段階ではユーモアが作用し、二、三の段階においてはアイロニーが強く機能していることがわかる。この三段階の発展理論は、笑いはただ単なる生理的、心理的反応にとどまらず、社会的、文化的、政治的価値を放つものであることが理解される。

3　田河水泡　漫画における滑稽の理論

田河水泡は『滑稽の研究』において笑いと滑稽を区別し、「滑稽は論理の誤謬であり、誤謬は虚偽である。虚偽には論理的価値はない」とする論理学者の「命題」に異議を唱えている。田河は戸坂と同様に、笑いは滑稽を起点とする感性的な契機により生まれ、次に生理、心理をつらぬく「論理」が滑稽にはみいだされると考えている。田河によればそれは「主観的滑稽」「客観的滑稽」「素朴的滑稽」に分別される。[4] 前者は対象に関心が向かう場合は他者滑稽となり、自分に向けられる場合は自己滑稽となる。それは対象に自己都合のみたて、すなわちある対象の言葉・動作・行為を通して自己の価値意識・意義を浮かび上がらせ、真理にみせかけるものである。そしてそれが目的に達したとみるやその論理的価値を自らはずすことにより、再び滑稽が醸し出される仕組みである。中（客観的滑稽）は対象に働きかける主観を必要とせず、対象そのものがもつ欠陥、欠神、欠点を目のあたりにして発生するものである。それは対象そのものにより発せられる失敗、間違い、うっかり、早とちり、期待はずれなどにより引き起こされる。後者は、人生や自然をありのままに受け入れ、その間違いや失敗に対してなんら批判を加えず、また反省せず、なすがままの状態を放置することから醸し出されるものである。

このように滑稽の分類をおこなった田河であるが『滑稽の構造』では、滑稽が心理的感情に基づくものであり、「論理の矛盾によって起こる誤りが滑稽になる」その論理性を漫画形式により説明しようと試みた。ひとコマ漫画、四コマ漫画の笑いの分析を通して田河は、滑稽をまず「方法の誤り」と「論理の誤り」に大別し、詳細にわたる分類を施している。田河によれば「方法の誤り」とは一をみて全を知る、つまりひとつの事例をすべてに該当する誤りであり、「論理の誤り」は「方法の誤り」により生まれた誤りが、実際に用いられることにより論理の不当性（筋違い）が導かれることを意味する。

「方法の誤り」は①「言語的誤り」、②「内容的誤り」、③「資料的誤り」、④「論証の誤り」の四通りあり、各項目各々五つの項目があり合計で二〇通りの分類がおこなわれている。また「論理の誤り」は、六通りあり、「方法の誤り」と合わせ、その二つの「誤り」を組み合わせると総計で一二〇通りの「滑稽」が生み出されると定義づけている。[5]

「方法の誤り」の①「言語的誤り」には「一語多義」「一文多義」「多語一義」「語義解釈」「比喩の誤り」の5つがあり、その②「内容的誤り」には「結合の誤り」「分離の誤り」「一般特殊」「特殊一般」「特殊特殊」の5つがある。さらに③「資料的誤り」は「不当観察」「不当実験」「不当因果」「不当定義」「不当分類」の5つがあり、④「論証の誤り」には「不当仮定」「複問の誤り」「論点変更」「論点仮託」「論証不足」の五つがある。一方「論理の誤り」は「同一不同一」「同類異類」「積極消極」「単純複合」「抽象具体」「対象属性」の六つからなる。田河は滑稽が生まれる要因をまず「表現方法の誤り」から抽出し、それがいかに「論理の誤り」に結びつくのかについて具体事例を組み上げることにより一二〇通りの滑稽分類を可能にしている。文中においては該当する作品をつぶさに引用し、その説明もおこなっている。この努力により田河は滑稽が単なる生理、心理的課題としてあるばかりでなく論理的課題でもあることを示した。

4　小此木啓吾と志水彰による笑いの現代的定義

小此木啓吾はすでに笑いの現象として広く知られている微笑（Smile）と笑い（Laughter）の違いについて、笑い声の有無からその心理的差異を明らかにしている。[6] 微笑は内的な快による生理的充足に基づくのに対し、笑いは、声と身体表現をともなう滑稽に対する感情表出である。

両者ともに「笑」により内面的な緊張を解消しようとする心理に支えられている共通点があるが、微笑は心理的に弱い緊張を放出する結果にともなう充足感であり、笑いは、心理的な激しい緊張を解消しようとしてもたらされる身体作用をともなう違いがある。

志水彰は笑いを理論的に三つに分類し、その機能について以下一〇の定義づけをおこなっている。[7] まず志水は笑いを一・快の笑い、二・社交上の笑い、三・緊張緩和の笑い、に分類し、各々、一の笑いは、さらに①食欲・性欲の満足による「本能充足」、②目標に対する成功を得た「期待充足」(満足)、③競争による他者への「優越」(嘲笑)、④期待外れ・意味の取り違えによる「不調和」(滑稽)、下位者が上位者を見下す「価値低下・逆転」(風刺)に分類し、また二の笑いは、①挨拶・コミュニケーションによる「協調」、②本心の勘ぐり・苦笑による自己「防衛」(自衛)、③他者の失敗・欠点・不道徳への「攻撃」(嘲笑)、④自損の出来事による「価値無化」(自虐)とし、三の笑いは、①ストレスの解放による「強い緊張の弛緩」、②駄洒落・ジョーク・くすぐりによる「弱い緊張の弛緩」(諧謔)をともなう、ものとした。

それは一が生物学的笑い、優越的笑い、二が遊戯的笑い、不一致、不一致解決の笑い、三が放出的笑い、驚嘆的笑い、反射的笑いに言い換えが可能であり、笑いの機能的分類として優れたものである。ここでは、小此木の微笑と笑いの定義は、三の緊張緩和の笑いに含まれることになる。

このようにみた場合、ひとコマ漫画（cartoon）の風刺滑稽要素は、笑いの範疇とすべてが重なっているわけではないことがわかる。たとえば一の笑いの定義による本能充足や期待充足にともなう満足、二の挨拶・コミュニケーションによる協調は、人間の動物的本質に基づく接触行為にともなう微笑表出を含むものであるから、滑稽表現は、ここではそれ以外のコミュニケーション行為をともなう社会的、文化的な笑い表現であることになる。

しかし、田河の滑稽の定義によれば、本能充足や期待充足による笑いは、当事者による自発的、内面的行為であるがゆえに、それがたとえば微笑のように静かに表出された場合でも、対象として見分する者にとっては、素朴的滑稽として判断可能なことを考えると、本能充足や挨拶行為などの微笑行為であっても、滑稽表現になりうることがわかる。ここでは笑いは意図せずとも起こるが、滑稽表現は意図して笑いを呼び起こそうとするものとなるのである。田河は滑稽の範疇を拡大することにより、図らずとも主観的滑稽（風刺）、客観的滑稽（滑稽）、素朴的滑稽（諧謔）のなかに笑いを定義しようとしていたことになる。

5　醜としての滑稽　ローゼンクランツのカリカチュア論

ここまでひとコマ漫画における笑いの定義、効果について、滑稽をキーワードに考察してきた。ここではさらに滑稽が人間感情に基づき発生するのであれば、それが人間の美的感情においてどのように意味づけされるのかについて検討してゆく。

デソアールは美的感情、美意識について六つの範疇を示した。[8] 美―醜、優美―悲壮美、崇高美―滑稽がそれである。またローゼンクランツは美の対局に滑稽をあげ、醜をその中間に配置した。まずここから理解できることは、滑稽が美的価値を一切もたないということである。そして彼は醜の定義を以下のように定義した。

一．形の定まらないもの（無定形／アシンメトリー／不調和）

二．不正確

三．歪曲もしくはゆがみ

(1)卑俗なもの

①狭小なもの　②弱々しいもの

③卑小なもの（A 平凡なもの　B 偶発的で恣意的なもの　C 粗野なもの）

(2)厭わしいもの

①ぶざまなもの ②うつろで生気なきもの

③おぞましいもの（A 悪趣味なもの　B 吐き気をもよおすもの

C 悪〔犯罪的なもの／幽霊じみたもの／悪魔的なもの〕）

(3)カリカチュア

ここで着目するのは、醜のなかに「歪曲もしくはゆがみ」としてカリカチュアが位置づけされていることである。カリカチュアすなわち風刺は、崇高を卑俗に変換し、その歪められた像に向き合うことにより省察を生み出す。すなわちこの誇張された歪曲像は不正確で卑俗なもの、卑小なものへと転じ、厭わしいものへと変質を遂げることにより、鑑賞者はその本質を評価する機会を得たのちに滑稽へと感情を転換することができるのである。この意味においてカリカチュアは単なる批判ではなく、あらたな対象イメージを浮かび上がらせる機能を保持している。つまりその創造の基礎は歪曲と誇張により全体と部分の不均衡、不調和を意図させることにより、あらたな調和、統一性をイメージにおいて回復する機会を与えるのである。

さらにローゼンクランツは、カリカチュアを二段階に位置づける[9]。象徴的カリカチュア、理念的カリカチュア（空想的カリカチュア）がそれである。前者は対象となる個人を歪曲、誇張しつつ、その個人を透過して普遍的社会性に気づきうる力をもたせる。後者はカリカチュアの醜そのものを無害化し、元来絶対美のみがもたらしうる至福を、滑稽を通じて達成しうるものとなる。ここに醜に含まれるカリカチュアは醜そのものを透過して美をもたらす作用をなす。滑稽はカリカチュアが有する害悪を解毒し諧謔へと導く役割を果たすことにより、醜を美の一員として迎え入れる役割を果たすことになる。

このようにみた場合、あてこすり・皮肉（wit/irony）により生まれる風刺性（caricatural）、あざけり・嘲笑（ridicule）により引きだされる戯画性（travesty）、おどけ・滑稽（comic）により生み出される奇想性（fanciful）、おかしみ・諧謔（humor）により浸透する哀愁性（pathos）は、前二者が主観的滑稽であり、後二者が客観的滑稽にあたり、ローゼンクランツの二段階論でいえば、優れたカリカチュアは一つの作品が前者から後者へと転じる過程において醜を美に転嫁し、読み解く者に美的感動を与えることになる。その意味において、筆者は今日の日本においてカートゥーンが衰退した原因は諸説あるものの、物語マンガ隆盛の時代において産業として成り立たなくなったことともに、作品が笑いを通して美的感動を与えうるレベルに達せず妙味が失われ、作家そのものが減退していったのではないかとする仮説にも賛意を表明したい。

6　笑いの弁証法と弁証論　戸坂潤とローゼンクランツの理路

笑いと滑稽をただ生理的、心理的機能としてとらえると、それは単なる分類に終わり、分類された笑いと滑稽の役割が見過ごされやすい。戸坂潤とローゼンクランツは、各々の思慮により笑いを社会的機能、美的機能の観点から叙述している。戸坂は、場を和らげる諧謔（ユーモア）、人を攻める皮肉（アイロニー）、人を糾す逆説（パラドクス）を叙述したが、それは諧謔、滑稽、風刺へと段階的に評価がおこなわれている。ここでは皮肉は風刺と同等な価値をもたず、皮肉は風刺へと社会矛盾を想起させるための呼び水としてその滑稽役割を担い、風刺は自己矛盾や社会矛盾に気づきを与える役割を果たすものとされる。ここにおいて諧謔は社会生活における緊張を緩和する社交的役割を果たしているが、滑稽、風刺は社会進歩、社会変革に結びつけられた役割を果たしていることが理解される[10]。

一方ローゼンクランツの叙述は象徴的カリカチュア、理念的カリカチュア（空想的カリカチュア）からなるが、前者は崇高を卑俗に変換し、その歪められた像を目のあたりにすることにより鑑賞者内部に省察を生み出し、事象の本質に気づきを与える役割を担う。後者は醜そのものを無害化し、元来絶対美のみがもたらしうる至福を、滑稽を通じて達成しうる役割を果たす。ここではカリカチュアに強い社会的機能はみいされていない。あくまで個人における美的規範においてカリカチュアが位置づけられている。

戸坂とローゼンクランツの論を比較すると、前者が諧謔、滑稽、風刺へとその段階的機能に価値的優位性をみいだしているのに対し、後者は風刺から滑稽へとその価値づけが逆転していることがわかる。戸坂はその中心に滑稽作用をみいだし、ローゼンクランツはその中心に風刺作用を据えている。ここには二人の文化に対する考え方の違いをみいだすことができる。それは風刺が柔らかな日常に切り込みを入れる役割を果たす日本と、風刺が頑なな日常を解きほぐす役割を果たすドイツとの差異が明らかになる。戸坂にとっていわば風刺は社会変革のための最終手段であるのに対し、ローゼンクランツにとって風刺は社会安定のための前提手段にすぎないのである。

このように考えると、滑稽から風刺へと向かう社会的機能と風刺から滑稽へと向かう美的機能の差は、あからさまに個人主体の脆弱性を社会変革により救おうとする戸坂と、個人の至福を美的還元による社会的安定を通して達成しようとするローゼンクランツの考え方の差となる。ここにはおのずとマルクス的な弁証法とヘーゲル的な弁証法の違い[11]から両者ともその世界観を鑑みるに値する笑いの弁証法をもち得ていることがわかる。戸坂の「褒めるために一端クサす」諧謔、「クサすために褒める」滑稽、「肯定と否定が同在する逆説」すなわち風刺は、主体がコミュニティにおいて安住せずソサエティにおいてこそ社会矛盾を糺す力となるものである。またローゼンクランツは、美的対象における醜は美の一員であるから、醜たる滑稽はあくまでも美を覆すものではなく、美に到達するまでの水先案内を務める役割になる。

7　風刺滑稽論の神髄　北爪佐知子とガダマーの理路

ここでは前節まで論じてきた風刺滑稽についての議論が、いかにカートゥーンとして作品化されているのかについて論じ、本テーマである「カートゥーンにみる『笑い』の真価」について触れてゆく。

北爪によれば風刺は、発話行為とユーモア発話行為が重ねられた批判から生ずる矯正機能であり、ユーモアは発話行為による緩和とカタルシス効果をもたらすものとされる。[12] まず風刺画は文と図で発話行為をおこない、発話内行為において対象や事象の批判をおこなうことにより、発話媒介行為は矯正効果をもたらすものとされる。またユーモア発話行為は、漫画でユーモア表現（行為）をおこない、ユーモア内行為により笑いを起こし、ユーモア媒介行為により批判対象としての要素を緩和し、鑑賞者の不満を緩和する働きをなす。つまり風刺画は批判的発話機能をなすだけでは機能せず、滑稽的発話行為を内在することにより成立するものとみなしているのである。ここではカートゥーンが有する風刺性（caricatural）と滑稽性（comical）が「風刺画」一般には備わっていると評価を与えているわけである。しかし本論冒頭でおこなったカートゥーンの仮定によれば、それはほかにも嘲笑に基づく戯画性（travesty）、諧謔に基づく哀愁性（pathos）をも備えているために、風刺画は批判的発話行為を主とし、滑稽画は滑稽的発話行為を主としているものと単純に評価をすることはできない。

ここではこれら四つの要素、風刺、滑稽、嘲笑、諧謔が一枚の作品においてどのように組み込まれているのかが、カートゥーン一般の価値体系を創造するものとなる、いわば「一枚画」の体系としてカートゥーンはより広義の意味として用いられ、カリカチュアは狭義の意味にて用いられている。その意味から筆者は、各要素の背骨、主たる精神性から判断して、風刺画、滑稽画、戯画、諧謔画と、日本語での表記をおこない区別を図る試みをおこなっている。それは端的にいえば対象の外在的批判性の強い風刺画、内在的批判にまで浸透する戯画、対象の矛盾をほのめかす滑稽画、転じてその内在的共感を呼び起こす諧謔画と考えることができる。

こうした諸機能からなるカートゥーン（ひとコマ漫画）であるが、ではその本質がなすものはなんであるのか。それが価値転倒の機能であると思われる。すでに戸坂潤は、笑いは場を和らげる諧謔（ユーモア）、人を攻める皮肉（アイロニー）、人を糺す逆説（パラドクス）からなるものとしたが、ここには人間の心理的作用である協調と攻撃を通した逆説による「気づき」、すなわち笑いの弁証法がみいだされている。この考えに依拠すればカートゥーンがなす目的は笑いをとることではなく、対象や事象に対する価値の転倒をもたらすこと、その過程を通して結果として笑いがもたらされ、なんらかの気づき（新しい価値観）を鑑賞者に与えることになる。

その点についてガダマーは対象や事象をありのままに見ること、すなわち同一律的に世界を眺めることそのものを否定する精神の働きを「第一の否定」としている。それはこの矛盾に満ちている世界を無矛盾として受け入れることを否定することである。次に「第二の否定」である。世界を感覚的に眺めていた主体は、そこから超感覚的世界に達し、感覚的世界そのものを否定することにより、その世界の真実態を明らかにすることになる。ガダマーは「風刺

(Satire)」が世界を転倒させ「逆さまの世界」の真偽を俎上に載せる効果をもつものとする。[13] その意味からすれば滑稽は風刺画により直接もたらされるのではなく、現実の実態そのものが真実として描かれているからこそ浮かび上がるものであるに違いない。また滑稽が風刺として機能するためには、風刺の発想があまりにも現実からかけ離れているからこそ、それが現実そのものであることを鑑賞者に気づかせる技術的誘導がうまくなされていなければならないであろう。

このように考えた場合、カートゥーンにみる笑いの真価とは、作画対象や事象として描かれる世界の価値転倒を果たすことにより、あらたな多視点的な価値観を個人に芽生えさせ、それによりあらたな社会文化を創出するための価値がもたらされ、個人の幸福をもたらす契機を授けるものとなろう。

8 西洋における笑いと日本における笑いの特性

筆者はこれまで繰り返し、日本にカートゥーンが根づかなかった理由を戦後日本の産業構造の変化、すなわちひとコマ漫画に代わる物語マンガの隆盛、ひとコマ漫画家のタレント化（副業化）、文化構造の変化、すなわち戦後政治運動を支えた批判精神の希薄化、日常生活への埋没による読書スタイルの変化、作家性の未成熟、すなわち風刺精神の内面化の失敗、作品そのもの完成度の未成熟、として説明を企ててきた[14]。

しかし、ここで気づくことは、日本人はよく笑う国民性をもともと持っている事実である。「お笑い」業界はますますの隆盛を誇っているばかりでなく、笑いはコメディ、ギャグ、パロディとして様々なメディアに溢れている。物語マンガ、四コマ漫画における笑いの人気もその例外ではない。そうであれば、なぜ日本においてひとコマ漫画は衰退してしまったのだろうか。これには宮田光雄のキリスト教文化における笑いの精神性と日本文化における笑いの特性を比較することが、まずは解明の端緒になる。佐伯美保は「笑いは平和構築に役立つか」にて宮田が新約聖書にイエスが笑う記載が一度もないことを指摘したことをあげ、宮田が「笑い」は記述されなくともイエスがユーモア溢れる人物像でありうることに着目し、そうであればなぜ「笑い」が封印されているのかについて関心を寄せている[15]。キリスト教史において「笑い」は罪の象徴であり、泣くこと（懺悔すること）に対する大局的な慎むべき価値観として認識されているのである。ではそうであれば批判精神、風刺は西洋においてなぜ発達したのであろうか。それは聖書に示されているとおり、笑う者は常にイエスに対する敵対者、裏切り者たちであり、笑いは明らかに一方的な悪意とあざけりを象徴しており、笑いは西洋社会においては懲罰と制裁を意味するものであることが示されているからである。つまり、笑いが社会において潜在的に禁忌とみなされる文化においては、批判による笑いは懲罰と制裁が、より激しく直接的に提示されるものと考えられる。

一方、日本の文化においてはすでに『古事記』の天照大神の天岩戸の場面にみられるように、神々は天照を岩戸から外へ導くために、歌い踊り、笑うことにより、懲罰と制裁を加えるのではなく、天照に対する親和性をもたらし、心を解きほぐす力をもつものとなる。農耕社会における太陽神である天照の力を拝借するために笑いは招福の呪力を持ち得たわけである。こうした樋口清之の説がある一方、柳田國男は、笑いは神を笑わすものではなく、神に笑っていただくことにより共同体の安寧が保たれるとしている。ここには西洋文化における懲罰と制裁の心理が招福と安寧の祈願へと転化していることが理解される。[16]

このことは、笑いの三大要素である、風刺（攻撃）、滑稽（調和・不調和）、諧謔（開放）の観点からみると、西洋における笑いは批判、攻撃によりもたらされる精神の抑圧を意図するからこそその開放が対置されるのに対し、日本における笑いは初めから不調和を避け、場の安定をもたらそうとする配慮から生まれていることが理解される。その意味から西洋発祥のカートゥーンがもたらす笑いは主に対象に対する攻撃心理に基づく「優越」「軽蔑・非難」が強く、日本のひとコマ漫画に風刺性が足りない要因は、もとより対象に対する優越感覚を抑制し、対象が有する害悪、醜態の「不適性」を見過ごす精神を培養し続けるものであると考えられる。

9　ひとコマ漫画における笑いの効力とは何か

第七節にて本題である「カートゥーンにみる笑いの真価」は、対象を通して描かれた世界の価値転倒を果たすことにより、あらたな多視点的な見方を個人にもたらし、多様な価値観を社会に創出するものであると意味づけられた。ならばカートゥーンではなく、日本のひとコマ漫画の笑いの効力はいかにあるのか。最後にこの副題について考察する。

ここでの前提は、まず明治期に日本が西洋より学んだ「風刺の精神」が日本的滑稽、諧謔の精神により曲折してしまっていることである。むろん文化の移植はその相互の風土の違いにより完全なされることはない。文化は端より原型が完全に輸入、翻案され定着することはあり得ないのである。ここでその屈折の原理としてもち出される尺度がいわゆる集団主義―個人主義の二分類である。日本は集団主義的社会であり、西洋は個人主義的社会と半ば常識化され、長らく語られてきたために、いまだにそのように思い込んでいる者も多いことであろう。現在ではこの二元論的認識は誤りであることが明らかになっているが、それは日本が確たる集団主義から逸脱したものの、さりとて完全な個人主義的社会に移行したわけでもないことを同時に物語っている。大澤真幸は現代日本社会の特徴をいわゆる「自己の主体性」ではなく「他者の主体性」を用い再規定することにより集団主義と個人主義の二元論的評価の克服を試みている。

情報化社会においては、情報を介する個人間の「関係的主体性」こそが、集団主義的抑圧ではなく、間主体的な積極的協調主義から無意識的同調的開放をもたらしているのである。[17]

大澤によれば「自己の主体性」に基づく社会においては、人が互いに他者になる経験は抽象的な第三者概念を生み出しやすくするために具象的で可視的な身体経験は抽象的で不可視的な身体性を育みやすくなる。いわば一神教は個人主義に基づく不可視で抽象的な神により支配されているのである。それに対し「他者の主体性」に基づく社会では、人が互いに他者になる経験は具象物（者）の第三者性を通した可視的な神を生み出しやすい。この考えによれば、現代日本社会は、頑固な集団主義社会から脱却し、マイルドな個人主義社会に移行しているものの、底流にある同調主義的傾向により、完全な個人主義的社会への移行を果たせない社会となる。[18]つまり日本社会は集団主義社会ではなく、個人主義的社会でもないその混乱期、すなわち集団主義崩壊期かつ個人主義創生期にあるともいえない状況であることを指摘せざるを得ない。それは日本文化の古層に流れる社会的、心理的同調指向としてたやすく個人主義社会への経路を開くことを遮断し続けるだろう。[19]その意味において理念や思想を基軸とする価値規範による社会創造以上に、実在に基づく現状肯定、その認知規範の枠組みが、具象的で可視的な神々（集団的同調）を待望するリスクはなおも存在し続けるだろう。

このように考えた場合、日本の近未来におけるひとコマ漫画の笑いの効力はいかにもたらされるのであろうか。すでに日本ではカートゥーンの受容以降、ひとコマ漫画は風刺性よりも圧倒的に滑稽性に依拠し続けてきた。それは風刺が笑いを呼ぶ以上に滑稽を通して、わずかに残滓し、心に残るものではなく流れ去るものであった。その意味からすれば、近未来のひとコマ漫画は、集団主義と個人主義を背後から調停する同調主義的功罪を意識的にテーマとすべきなのかもしれない。それは多様な意見、多様な価値表明が出揃う前に思考なき同調性が多数意見を装いながら大多数を形成しやすい、こうした日本的な無意識的回路を暴露し、意識化してゆくことになるだろう。日本のひとコマ漫画家がカートゥニスト、あるいは風刺漫画家と呼ばれたいのであれば、心ある者はこの課題に取り組まなければならなくなるだろう。

註

（1）小山昌宏「日本におけるカートゥーン・ルネサンスは可能か？　諷刺精神の衰退にともなう『社会文化』空間の変容」社会文化研究第一五巻、二〇一二年、一三一―一四九頁
（2）ベルクソン／林達夫 訳『笑い』岩波文庫、一九七六年、一一―一七、二七頁
（3）戸坂潤『戸坂潤全集』第四巻、勁草書房、一九六六年、七四―七五頁
（4）田河水泡『滑稽の研究』講談社学術文庫、二〇一六年、四〇―五一頁
（5）田河水泡『滑稽の構造』講談社、一九八一年、表2、表3の見開きにおいて「滑稽の分類表」が掲

載されている。

（6）小此木啓吾『笑い・人みしり・秘密 ―心的現象の精神分析―』創元社、一九八〇年、六―八頁

（7）志水彰・角辻豊・中村真『人はなぜ笑うのか』講談社、一九九四年、第1章

志水彰『笑い その異常と正常』勁草書房、二〇〇〇年、四二頁

（8）カール・ローゼンクライツ／鈴木芳子 訳『醜の美学』未知谷、二〇〇七年、五九頁

（9）前掲書、三五四―三五七頁

（10）戸坂潤は笑いの意義について明快に論述している。「笑いの論理は、次第にそれに固有だった論理性の鋒鋩を、否定性を、批判性を、露骨にして来る。で今や事物はその肯定の内からやがてその否定を結果として持たねばならなくなるのである。之が批判なのである。処でここまで来ると、笑いの論理的構造と考えていたものが実は弁証法的本質であったことに人々は気付くだろう。実際、ヘーゲルやマルクス・レーニン等優れた弁証法家は常に優れた批判家であったが、優れた批判家は天才的なパラドックスの発見者・アイロニーやユーモアの達人であって、また優れた理論的な喜劇作者であるのが事実だろう。譬喩が上手であるという事――夫は弁証法的才能の一段階だ――と共に、諧謔に長けているということは、板に着いた理論家の特色なのである」『戸坂潤全集』第四巻、勁草書房、一九六六年、七四―七五頁

（11）有体にいえばヘーゲル弁証法は国家こそが家族と社会との矛盾を合理化する保証を与えるものであ

り、現実的な存在が理想的実在でしかるべきものであるが、マルクスの弁証法は、現実社会の矛盾は個人と国家における疎外と物象化をとおして表出する矛盾により、あらたな社会をうみだす原動力となる。その意味からすれば、ヘーゲルが美の対極の存在として定義した醜を美学の俎上にあげることにより、ローゼンクライツは醜が美を否定するがゆえに美の価値づけを輝かせるのに対し、マルクス的な考えをすれば醜は美を脅かすことにより新たな美的価値、規範をうみだす契機になる。

(12) 北爪佐知子「環境危機の風刺画研究」『文学・芸術・文化』近畿大学文芸学部論集二四巻一号、二〇一二年、二七八―二六一頁

(13) 山田有希子「『逆さまの世界』としてのヘーゲル哲学――矛盾と反復の論理学――」東京大学人文社会系研究科・文学部基礎文化研究専攻博士論文、二〇一四年、四八―五一頁

(14) 小山昌宏『戦後「日本マンガ」論争史』現代書館、二〇〇七年、九三―一一二頁

(15) 佐伯美保「笑いは平和構築に役立つか」広島大学総合科学研究科修士論文、二〇〇九年、四一―四二頁

(16) 前掲書、四三―五〇頁

(17) 杉万俊夫「「集団主義―個人主義」をめぐる3つのトレンドと現代日本社会」ジャーナル「集団力学」二七巻、二〇一〇年、二五頁

(18) 前掲書　二六―三〇頁

(19) 古家聡「日本人集団主義説の再解釈―「利己的協調主義」をもとに―」Global studies 第二号、二〇

一八年、二七―三六頁、では、日本の集団主義の再解釈として「我利追求」の概念に基づく「利己的協調主義」への置き換えを提唱している。それは日本社会が「個人の利益よりも集団の利益を重視する価値観」に基づく集団主義社会ではないことを明白にするとともに、「歴史的・社会的に熟成されてきた文化的要因によって、日本人はアメリカ人と違う選択をして、目標実現を図ろうとしている」表れとするが、そもそも日本の歴史的、社会的、文化的要因は、利己的協調主義（自己研鑽）と利己的同調主義（自己保身）を同一視するところに成立しているのである。

参考文献（注に明記されていないもの）

浅田由美子「心理臨床場面における笑いの取り扱い――その効用と実際、展望について」九州大学心理学研究五巻、二〇〇四年、一五三―一六一頁
大澤真幸『身体の比較社会学I』勁草書房、一九九〇年
織田正吉『笑いとユーモア』筑摩書房、一九七九年
柴原直樹「笑いの発生メカニズム」近畿福祉大学紀要七巻一号、二〇〇六年、一一―一一頁
裴崢「ペーソスを交えたユーモアについて」教授学の探究一〇巻、一九九二年、八一―一一三頁
矢島信男「「笑い」の教育的意義―「ユーモア・センス」の概念を中心に―」創価大学大学院紀要三四巻、二〇一二年、一九九―二二一頁

第四章　ひとコマ漫画集　書評

西田淑子『残念無念な男たちコレクション』

世の男性の生態を、多様なユーモアとアイロニーを用いて表現する著者の多様な切り口は、見事の一言につきます。特に「品性に欠ける」男、「インテリ自慢」男に対する切れ味の鋭さは目を見張るものがあり、年齢とともに「男性ホルモン」が少なくなり、中性化してゆく自分でさえ、時に思いあたる節があり、かくいう男性の人生は、生涯治らぬ「生まれいづる悩み」との戦いであることを、ひどく自覚させせられるものとなります。

本作品集は、そのような男性の実態を「頑固」「偏見」「見栄っ張り」「ズルい男」「情けない男」「食事のマナー」「己を知らない」「家事をしない男」「女については」「やっぱり男は」の一〇章、全一一三作品に分けて風刺しています。ここでは、特に私個人が好きな作品について、いくつかご紹介します。

まずは「化石男」。安保闘争の青春を飲んだ勢いで熱く語り、回が重なるごとに美化されてゆく我が勇姿を「化石人間」として描いています。むろん居酒屋のまわりの席は誰もいなくなり、歯が抜けたように

西田淑子
『残念無念な男たちコレクション』

焼き鳥の串が散乱しているあり様。

次に「祝宴に水を差す男」。それは大切な祝宴のご馳走を眼の前にして、貧しい国々の子供たちは、日々食べものに困っていると説教する男の姿を描いています。それはまた貧困の状況に対する皮肉でありながら、眉を顰める周りの人々の描写がこの男そのものがすでに滑稽であることを物語る秀逸な作品になっています。

最後に「『手塚治虫』を売りにする男たち」。「不況に強いぶなしめじ」の一つひとつの顔が、微妙に異なるベレー帽を被った「手塚治虫」からできています。手塚治虫を利用して「商売」するのもほどほどにと一見厳しい忠告に思えますが、一つひとつの顔に愛らしいユーモアがあふれており、その表現の芯に人への信頼が読み取れることから、心安らぐ一枚になっています。

他にも「チョイ悪」を気どる親父、「パーティーで寿司を独り占めする男」、若い女性しか目に入らない「老人性視野狭窄」、「大勢に便乗してののしる男」など甲乙つけがたい素晴らしい作品がたくさんあります。

読むことで女性は溜飲を下げ、男性はわが身を振り返り、その忠告を楽しさに代えて共有する。なんとも手元に置いておきたい一冊です。

現代書館　二〇一五年　一〇〇〇円（税別）

ウノ・カマキリ『JAPAN as SAMURAI THE CARTOON OF JAPUNCH』

マンガ家は、当然のことながら絵がうまい。中には下手が味になっている人もいますが、素人よりはうまいのは当たり前のように思われます。著者の絵はとてもうまく、とりわけその線は柔らかく自由で、空気のように自在に変化するタッチはとても魅力的です。本作品集は、「JAPUNCH叢書」の一冊として刊行され、「カートゥーン」の衰退に対する危惧と復興への希望が込められています。本書は前半の「JAPAN」二四作品、後半の「SAMURAI」二四作品と、補録の「斬る」シリーズ一〇作品が収録されています。

著者の作品の本領はユーモアであります。それは心情を風情として、具象的に描く優れた力があります。前半の「JAPAN」の作品は、自然の風物（大枠の絵）と仮現の風物（小枠の絵）を絵のなかに取り込むことにより生まれる余韻を用いて、読む者の風情、情緒を引き出しています。たとえば、

ウノ・カマキリ
『JAPAN as SAMURAI
THE CARTOON OF
JAPUNCH』

それは「満月と器の水面に映る満月」（月を飲む）、作品に描かれた額縁のなかの絵「笹船に乗り小さな笹船に並べられたおにぎりを持つ修験者」を観る「鑑賞者の傍らに並んだ笹船のおにぎり」の三重の入れ子構造（味な作品を味わう）などにみられます。

また、滝のなかでそばを食う「行者の昼めし」と、蕎麦屋でそばを食べずに空で食べる修行をする「噺家の麺食い」は、荒々しい現実感漂うユーモアと初々しい空気感漂うリアリティが対比され、なんともいえない柔らかな諧謔味が香ってきます。こうしたユーモアセンスは、著者が描く「落画」の世界が共有する「無形」の財のありかをさし示してくれます。

後半の「SAMURAI」では、侍の日常の退屈さや滑稽が、現代の風俗と結ばれて描かれています。刀の柄にキャラクターのキーホルダーをたくさんつけて歩く侍、また大きくした短刀のつばを用いて、十字架にみたてドラキュラに対峙する侍など、思わず微笑ましく、心和む作品が盛りだくさんです。

そして最後に「斬る」シリーズ。もちろん、いろいろなものを侍が斬っているのですが、その対象が「邪念」であること、侍は自分との闘い、克己心の養成が第一であることがうかがえてとても面白い。心に余裕がなくなりかけたとき、ぜひ手にとりたい一冊です。

本作り空Sola　二〇一四年　頒布価格：未指定

坂井せいごう
『ヒトコマ漫画 みんなガンバレー！』

元ジャズミュージシャンでいらした著者はとてもダンディな漫画家です。その作品はジャズのように自由で軽やか、即興的なユーモアセンスに満ち溢れています。本書は「ＥＹＥＭＡＳＫ」に掲載された全一三一作品からなるオールカラー単行本で、その神髄をくまなく堪能することができます。

そのなかでも、特にユーモアセンスが輝く作品群が動物シリーズです。まずは「豚」が主人公の連作もの。愛らしい豚を夕日の見える港のベンチに誘い、ベンチの背もたれの後ろ手に包丁を隠し持つ男の哀愁。シェフに料理（銃殺）される前に、目隠しを断固拒否する男気溢れる豚の勇気、大きな豚にはお札が入り、小さな豚のそれには小銭しか入らない貯金箱の悲哀、壁穴の向こう側を鼻でみる豚のゆるキャラの滑稽など、豚と人間の奇妙な関係性が、そこはかとないユーモアとペーソスを漂わせ、思わず筆

坂井せいごう
『ヒトコマ漫画
みんなガンバレー！』

者もその詩情が自然に胸に込み上げてきます。

筆者の一番のお気に入りの作品は、南の国の子どもたちのために、プレゼントを届けにきたサンタクロースを運んできたトナカイが、そのすぐそばでライオンに追いかけまわされていることに気づかないサンタクロースの「メリークリスマス」です。サンタクロースは、この後寒い北の国に、ちゃんと帰れたのかしら?と、その人が良すぎる風貌と現実のギャップに思わずクスリと笑ってしまいます。

そして最後に「ザ・坂井せいごう」と呼ぶべき作品が「女の自画像」です。画家たる女性が自分をリアルに描こうとする心理が見事に再現されています。鏡に映った顔は、普通左右逆に見えます。しかるに、描かれる自画像も左右逆に描かれるはずです。しかし、自画像を描く女性は、鏡に映った自分の顔を、画稿を鏡に向けて立てて描くことで、左右逆なく描いています。ここには、美化も表裏も左右の逆もなく、自分を見つめようとする気迫が溢れ、見る私たち読者の心を揺さぶりおこします。素晴らしいの一言をお贈りしたい作品です。

蒼天社　二〇一六年　一八〇〇円（税別）

橋本勝『絵本 脱原発憲法』（メッセージ：小出裕章）

著書との出会いは筆者が大学時代の一九七〇年代初めであったことを思い起こします。イラストと映画評からなる『映画の絵本』（旺文社文庫）がそれで、的確な内容紹介とシニカルかつユーモア溢れるイラストに、まだ見ぬ映画を「名画座」に見にいった記憶が蘇ります。

本書『絵本 脱原発憲法』は、長年にわたり、戦争、憲法改正、核兵器使用にまつわる「風刺と語り聞かせ」の活動をなされている著者のひとつの到達点と思われます。また子どもの頃、ユダヤ人迫害、ディアスポラ、アウシュビッツにおけるジェノサイドの事実を知り、以来、「人間の業と平和の実現の狭間で苛まれ続け」る著者の半生は、筆者の少年期の心象とも重なるところが大きく、時には弱者をくじく「風刺表現」も描写される時代にあって、終始権力をテーマに、支配者の権威を暴露し続ける表現姿勢につらぬかれています。

『絵本 脱原発憲法』は、頭が凝り固まり、システムのなかで利権まみれになり、その「おこぼれ」をいただいて生きる多

橋本勝『絵本 脱原発憲法』
（メッセージ：小出裕章）

くの人々には、もうこの国の「変革」を担う資格はないとばかりに、その語りかけを子どもたち世代に広げていきます。親しみやすく、丸いフォルムのイラスト、四角い原発と丸い地球、その記号化された風刺表現は、著者の様々な画風の変遷のなかでたどり着いた、まさにこの瞬間、すべてのデコレーション（虚飾）をそぎ落としたシンプルな絵柄にまで昇華されています。そして原発のない明るい未来が、現実を模写する太く暗い線で描かれるとき、また擬人化された太陽の微笑みと強張った地球の怒り顔が強く私たちに訴えかけるとき、著者の「脱原発」の願いは、人権尊重、地球環境保全という視野にまで広がっていることに気づかされます。

それはまさに「日本国憲法」の強い意志が「脱原発憲法」に受け継がれているかのようです。全体が常に部分を犠牲にしながら、発展を遂げてきたこの国の、否この人間という種族の業火を消し止めるべく誕生した「日本国憲法」の精神は、「改正」ではなく、まさにその具体的実現（脱原発憲法）が、望ましい選択であることも、そこから容易に理解することができます。

特定非営利活動法人 有害化学物質削減ネットワーク（Tウオッチ）

二〇一六年　八〇〇円（税込み）

木南精示　私家版
『長生きしたって　ちっともいいことねえじゃねーのとおなげきのアナタに贈るマンガ集』『ヒトコマ日和』

著者は、マンガとともにイラスト、デザインの仕事を長年続けてこられました。その絵は無駄な線が整理され、シンプルな輪郭線と明確なトーンで構成されています。それは手描き絵でありながら同時に製図的であり、キャラクターは記号性がとても強い戯画の領域にあります。ご本人は自ら「おおざっぱ」な性格といわれますが、その画は「わかりやすさ」を追求した簡素な「ミニマリズム」に達しているといっても過言ではないでしょう。

二〇一四年刊行の『長生きしたって　ちっともいいことねえじゃねーのとおなげきのアナタに贈るマンガ集』は、うす茶色の簡素なメモ用紙に四八の作品が淡々と連ねられています。小品と思いきや、読みはじめますと老人の生態がユーモア溢れるエピソードで生き生きとつづられ、ぐんぐん引き込まれてゆき

木南精示　私家版
『長生きしたって ちっともいいことねえじゃねーのとおなげきのアナタに贈るマンガ集』

ます。それは大きく、明喩表現が秀逸な笑い、くすりと笑えるほのぼのユーモア、ペーソス溢れるブラックユーモアに分けられ、その相乗的な表現により深められています。

なかでも「明喩系」作品は、代々受け継がれる鳥のような「くせ毛」をもつ「寝ぐせファミリー」、腰の曲がり具合と身長計の「計測棒」がマッチした「ちぢみました」、「尿瓶」を利用した「ボトルシップ」のセンスが光ります。また「ユーモア系」作品は、車椅子を譲り合う「じいさん」と「ひいじいさん」を描く「優先席」、老人同士の恋と余命を測る「脈あり」、ボウリングの球が後ろにころがる「前に投げるのよ」、学校の校庭で逢引きをする「よろめく二人」などがとても微笑ましい。

さらに「ブラック系」作品は車椅子の老人が感動とともに立ち上がる「スタンディングオベーション」、熱演を続ける老人バンドのステージ背後で待機する医者の姿を描く「おやじバンドステージ4」、趣味の陶芸で自分の骨壺をこねる「マイ骨壺」、ほとんど洒落になっていない老人の「入棺体験 介助」、認知症で自分が探されている本人であることを知らずに掲示板に「尋ね人の自分」を貼る「自分探し」と、実は作者はブラックな作品にこそ、その才能を発揮されることが、これらの作品群からうかがい知れます。

木南精示 私家版『ヒトコマ日和』

そして最後に、「人生卒業」「それでもわたしの人生はそこそこ晴れていたと思いたい」は、ラスト作品にふさわしく、人生の悲喜劇から発するユーモア、またその影から生ずるブラックユーモアを超えて、人生の到達点にいたった老人たちの人生を静かに見届けています。そこには作者の、人生に対する「老い」に込めた特別な想いが溢れでています。

翌年出版された『ヒトコマ日和』は、「日本漫画家協会賞優秀賞」を授賞された作品集ですが、その表現描写はさらに洗練されています。そして人物の表情の一つひとつが丁寧に描かれ、一人ひとりの人生が大切に描かれています。これらの作品からにじみでる穏やかなお人柄は、長年の人間観察とその作品化への努力から生まれた賜物と思われます。

私家版『長生きしたって　ちっともいいことねえじゃねーのと
おなげきのアナタに贈るマンガ集』二〇一四年
私家版『ヒトコマ日和』二〇一五年

クリ・ヨウジ『CRAZY MANGA』

著者は、マンガ、アニメーション、絵本など各界で活躍される押しもおされぬ巨匠ですが、その作品世界どおり、日常生活もユーモアとナンセンスに溢れる自然体なお人柄である印象がとても強い。『CRAZY MANGA』は御年八八歳のクリ・ヨウジの等身大の作品集であるとともに、集大成であることを感じさせない創作への気迫が漲っており、五〇〇ページ描きおろしの偉業、その衰えぬアイデアの数々に正直驚きを禁じ得ません。

　大著であるがゆえに、一つひとつの作品についてつぶさに触れることができないのがとても残念ですが、頭に浮かんでは消えるよしなしごとを整理しつつ、いくつか感じたことを記したいと思います。一つは、その作品群が人間の原初的な欲望、性のエネルギーに満ちていることです。一見すると「下ネタ」に終始する「下品」な作品に見紛われてしまいかねない作品が、そのユーモアセンスにかかると、性のエネルギーが人間をいかに突き動かしているのか納得させられるとともに、奇妙な安堵感を読むものに抱かせます。それはおそらく人間観察の切り口が、そのアットホームでシュールな絵柄の力で、その真を美に昇華するかのような衝動を読むものに与えているように思えるからではないでしょうか？

　二つめは、世界の常識に対する（ブラック）ユーモアのセンスが飛び抜けていることです。たとえば、それは短編をはじめ「喫煙〔復活〕時

クリ・ヨウジ
『CRAZY MANGA』

代」「フン月」などのストーリー漫画にみることができます。前者は謎の感染菌の世界的拡大により人類が死滅してゆくなか、タバコを吸う人だけが命を取り止めている事実から、喫煙が世界に広まってゆき、ラストシーンは工場の煙突からニコチンを噴出するアイロニカルな表現でしめくくられるお話です。文明は人間を汚すことでその生命力を蓄えさせてきたのではないか、という「エコファシズム」に相対する一つの見方を提示しうるアイロニーに達していると思われます。また後者は、人間の身勝手な愛玩精神がメディアにより増幅され、原子力起源の巨大ペット犬ブームをつくるお話です。しかし、その犬の「フン」は巨大な放射性物質からなるために、やがて格納する場所も手狭になり、人間は宇宙に超巨大「フン」（無数のフンを固めた）を飛ばすようになります。これも、人間とメディアの資質をブラックに描いており、両作品はナンセンスSF作品として素晴らしい文明批評力をもち得ています。

最後は、人生経験に裏打ちされた人間の業に対する哀感が群を抜いていることです。「ジュエリーを愛して」は自伝的色彩の強い作品で、通信社の編集者である山田文子（アヤ）さんとの思い出がつづられてゆくストーリー漫画です。それは漫画が売れず、ろくに飯を食べることもできない作者に、ご飯をごちそうしてくれるアヤさん、両親の不幸な死から孤独に生き病死する最後の日まで、気配りを忘れなかったアヤさんの存在が愛おしく描かれ、やがてアヤさんの財産めあてに集まった親戚たちの強欲が対比されてゆきます。そしてラストシーン。アヤさんが飾っていた作者の一枚の作品がアヤさんのダイイングメッセージとなり、最後まで「おしゃれ」な生き方をつらぬいたその人柄が、とても爽やかな感動を醸し出してくれます。久里洋二、その作品に込められる才能と自由な精神こそが、私が長年追い求め続けているものではないのか、そんなことをふと感じさせてくれる素晴らしい一冊です。

ふゅーじょんぷろだくと　二〇一六年　二八〇〇円（税別）

ＡＨＡＨＡ！　ジョルジュ・ピロシキのひとコマ漫画ＧＡＬＬＥＲＹ

著者は各界に創造力豊かな人材を輩出してきた早大漫研のご出身。多種多様なひとコマ漫画へのアプローチ、考え方があるなか、「クスリ」と笑えるマンガ、「ふふふ」と笑えるマンガを日々追究なさっています。マンガ集『ＡＨＡＨＡ！』全四〇作品の世界は、まさに「クスリ」と笑うことさえも時には難しい日常の緊張感が、絶妙な描写バランスにより解放され、決して爆笑にいたることのない「微笑」を読者にもたらしています。それはキャラクターの特性、その関係性、世界観が、微細な色彩、構図のバランスの上に配置、計算されつくされているからといえましょう。

たとえば、表紙に採用されている作品「ギャー」は、ジェットコースターをのっとった男（キャラクター）の風貌、その男が乗る一〇両連結のコースターの位置（八両め）、後ろから脅されている男性のリアクション（七両め）が、まるで知的なパズルのように構図に組み込まれることによって成立しています。ここでは、まずスタートとゴールが同じ「場所」にあるジェットコースターをのっとることの無意味、いかにも「犯人」という間抜けな風貌、両手を上げながら大きく口を開き、スリルを楽しんでいる一般客の呑気さと、同じ両手を上げながらも「犯人」につきつけられる拳銃の恐怖により口を歪め、別の「スリル」を味わっているかのような「被害者」の姿（落差）が「入れ子」構造のように重なり、その一連の効果による「笑い」を奔出させています。

この記号化された笑いを読み解けば、ジェットコースター＝ループ（循環世界）、犯人＝タイプ（典型）、一般客＝アンプ（増幅）を通して、被害者＝コンプ（複雑・圧縮・完成）が浮かび上がってくるかのように感じられます。また犯人はなぜ一〇両編成のうち八両めに、被害者は七両めに座しているのでしょうか。（アン）ラッキー7というようなジョークもあるでしょうが、

AHAHA!　ジョルジュ・ピロシキのひとコマ漫画GALLERY

ここでは閉じられたループ世界、すなわち、三割の人間が利益を生み出し、七割の人間がそれを享受する現実世界のライン上に犯人と被害者がいることが重要です。三割側の代表に選ばれた犯人、七割側の代表に不運にも選ばれた被害者が、発展のないループ社会におけるジェットコースター（イリンクス：眩暈）上で、相対する構図は、富を生み出さない者には税を配分することなかれ、といった新自由主義社会における「脅迫観念」をブラックジョーク化したものとも深読みすることができます。

さて、全作品のなかで筆者が一番好きな作品が「視刑」です。著者特有のほのぼの感ある絵柄により、かえって作品の深刻さが浮かび上がってきます。それは砂漠のレンガ造りの壁の前、縄で後ろ手に縛られ、目隠しをされた「犯罪者」が、一列に並んだ六台の放送カメラの前にさらされ、辱めを受けている作品です。なんら個性のないテレビ各局のカメラマンが滑稽にも、なんらの主張なく横一列に並び、「犯人」を動けない状態に封じ込み、しかも素顔を明らかにさせないままに、ただただ映し出す見せしめの世界。この作品は作者の「クスリ」と笑えるユーモアと「チクリ」とくる風刺性を体現している作品として筆者はとても気に入っています。

リーブル出版　二〇一四年　一〇〇〇円（税別）

『武田秀雄の世界　オレは漫画家だ、芸術家なんかじゃない！』

著者の作品に初めて触れたのは、月刊「ＣＯＭＩＣ　ＡＧＡＩＮ」九月号（一九七九）の作品「ＡＬＴＡＭＩＲＡ」であったことをはっきり覚えています。このマイナーなメジャー漫画雑誌のなかでは、宮西計三と並び、その絵柄、構成力、世界観に圧倒され、いわゆる「マンガ」でも「劇画」でもない「凄い作品！」として、著者の世界は強く私の脳髄に刻み込まれたといってもよいと思います。

画集『武田秀雄の世界　オレは漫画家だ、芸術家なんかじゃない！』は、二〇〇二年に伊丹市立美術館で開催された「武田秀雄の世界」展の図録ですが、その抜きん出る絵の力、アイデア、切れ味の鋭さは今でもページをめくるたびに筆者を圧倒します。

内容は大別しますと「源平合戦」「国旗」「ALTAMIRA」「職人百づくし」「ステンドグラス」「MEE CHANG'CHINESE RESTAURANT」「YOGI」

『武田秀雄の世界
オレは漫画家だ、芸術家
なんかじゃない！』

「OPERA GLASSES」「FACTORY ART」など一〇編からなります。ここでは「源平合戦」「職人百づくし」「OPERA GLASSES」に絞って、その日本人離れした突出するセンス、研ぎ澄まされたエッジ感覚についてお話ししたいと思います。まず「源平合戦」ですが、絵巻のごとく流麗な絵柄から、象徴対比による源氏（赤）と平家（白）、すなわち男性性（源氏）と女性性（平家）が図として浮かび上がってきます。その剛毅と妖美は、「入墨」の浸潤により幾重にも絡み合い織りなすことで、他の追随を許さぬほどの艶めかしい世界を生み出しています。それはまさに匂い立つエロス、生と隣り合わせに生きる「死」そのものの芳醇であることがわかります。また背景は時に女性身体（豊穣）そのものが「源平」を抱合し、またある時には「虚無」が世界を支配していることから、図としても地としても揺れ動くその繊細な「文様」が、歴史における「源平合戦」の一回性を透過しつつ、時代を超えて反復し続ける「合戦」の本性をさらけ出しているように思えます。

次に「職人百づくし」ですが、二九の職業家がその本質をえぐるサディスティックなタッチで描かれています。素晴らしい風刺作品のなかでも特に秀逸なのが「やくざ」「ピアニスト」「王様」「マジシャン」の四作品です。全身の骨の隅々、その髄まで「入墨」がほどこされている「やくざ」。鍵盤をたたく指から艶めかしい女性の御美脚が躍動する「ピアニスト」。頭をハンマーでたたき割られ王冠が逆立つことで職業が成立する「王様」。身体中のあらゆる個所に鳩が巣くい、もはや本人の意思では制御不能なっている「マジシャン」。これらの「風刺画」はどれもその職業の真を鋭く切り裂きながら一瞬にして、その本質に到達しています。ここには、線が絵を形づくる輪郭でありながら、その線が画稿を切るや否や、絵の本質さえも解体してゆく、武田秀雄の美学が横溢しているように感じられます。

最後に「OPERA GLASSES」です。三六作品からなる風刺画ですが、エッジの効いた作品からユーモアあふれる作品まで、幅広いテーマが扱われており、その異才ぶりが発揮されています。特に筆者お気に入りの作品は、沈みゆく「豪華客船」のプールで溺れる人、方位磁石をたよりに砂漠を歩くものの、本物の磁石に吸い寄せられ歩き続けてきた男、毛だけでできている長嶋茂雄（背番号3）など、ユーモア系の作品です。

このように多彩な筆致とアイデア、センスを併せ持つ漫画家は、ひとコマ漫画界といわず、マンガ界においても稀有な存在なのではないでしょうか。その作品からは世界に通ずるセンスがたえず漲っているように思えるのです。

伊丹市立美術館　二〇〇二年　二〇〇〇円（税込み）

THE ARTWORK of JAPUNCH『IMAGINE』

『IMAGINE』は、「FECO NIPPON」（一九八七年結成）創立一〇年を機に、再出発を試みた『JAPUNCH』に集う精鋭八人の手によるヒトコママンガ集です。メンバーは、鮎沢まこと、ウノ・カマキリ、小澤一雄、クミタ・リュウ、クロイワ・カズ、所ゆきよし、森田拳次、矢尾板賢吉の八名。作品コンセプトは表題どおり「イマジン」（想像してごらん）です。ジョンとヨーコが育んだ平和への願いを受け継ぎ、東西冷戦終了後のテロの時代を見据え、想像から創造へと、そのペンを走らせています。

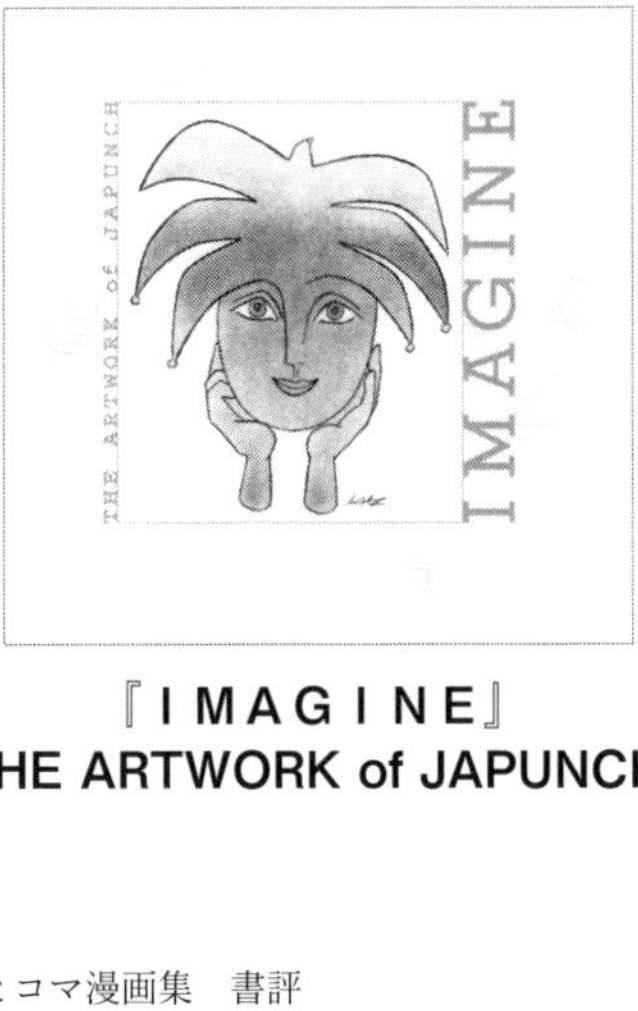

『IMAGINE』
THE ARTWORK of JAPUNCH

　鮎沢まことは、現実世界において相反する二つのモチーフを共存させることで、殺伐とする戦争の現実をユーモラスへと転換させます。それは「ブッシュ×ビン・ラーディン」「救急車×ハゲタカ」「義足×偽頭」「自由の女神×パクス・アメリカーナ」「小泉総理×サル」「砲弾×ハート」「カモフラージュ×ガーディニング」「ナース×エンジェル」「パインアップル×メロン爆弾」等の対立を、物語において融和し、ほのぼのとしたムードへと高めます。なかでも「LOVE

…男同志の愛こそ真の愛」は、かつてジョンとヨーコが世界平和のために演出した「ベッドイン」を、ブッシュ大統領とビン・ラーディンがにこやかに演じています。この作品は「裸体」(真実の顕在)と「男性カップル」(戦闘の拒否)が、新しい世界秩序を生み出すことができるのではないかとの、かすかな希望を心に与えてくれます。

ウノ・カマキリは、弾力に富むアイデアとその筆致により、平和への想像力が現実を創造すること、そのためには何よりも私たちの勇気と聡明が大切であることを示してくれます。「しばる力を切る力」と「平和への輪」は、私たち人間に与えられた精神の力、その反骨心と決断力が戦争を拒絶し、その平常心と想像力が平和をもたらすことを静かに訴えます。また「善悪を決めるのは神、悪魔ではない。あなた自身である」と「磁石の門」は、憎悪にとらわれず平和を保ち続ける力は、私たち一人ひとりの心の働きにあること、そのバランスがあればこそ、世界から武器をなくすことができるかもしれない、とのメッセージを投げかけています。それは、人は善と悪との間に引き裂かれるときに、最も神々しい悪魔に変身するその業を喝破した見事な作品であるといえましょう。

小澤一雄は、気が張り詰め殺伐とした世界を、一瞬にしてなごませる力をもっています。そこには音楽を愛する作者ならではの調和世界が音のない絵から響き渡ってきます。擬人化された弦楽器が照れながら「ハイ　なんとか平和です」と語る絵のほのぼのしさ、豚っ鼻の戦車の砲撃をみせる「ブーブー」のナンセンス、潜航艇がネコでできている「イエローサブマネキ」のユーモア、音楽がある生活、その場所には争いはない、そんな作者の想いが伝わってきます。しかしその世界は「やさしさ」にとどまるだけではありません。「なんだよ!?」「目には目を!」は、戦争に反対する断固とした音楽家たちの気概が示されます。音楽は愛を呼び、平和をもたらし戦争の種を枯らします。そうしたメッセージが作品に満ち溢れています。

クミタ・リュウは、一つの連続するイメージを二枚のモチーフに描き分けることにより、多彩な視点を作品にもたらしています。対になる「街造り」「壁」は、前者が人間の想像力が築いた都市文明の重みを描き、後者ではその文明がもたらした青空（見せかけの楽園）の偽りを暴露しています。また「永遠なるもの」「蝶（燃えるニューヨーク）」（一九七九年制作）の連作は、前者がジョンとヨーコによる平和への祈り（自由の女神の崩壊）を描き、後者では、それがスラム街の悪気を吸いニューヨークを飲み込む巨大な蝶に成り代わる姿を描いています。そのセンスはイメージを鋭く切り取る力に優れるとともに、とてもリアルな残像を読者に刻印します。「平和の使者」「投降」の連作は、特にそのことを感じさせる作品として刺激的です。

クロイワ・カズは、ナンセンスの視覚化、物質化に優れ深遠なテーマを具象化する名手です。「聞こえるかい？ 世界の終りのカウントダウンがー」は、核ボタンを押す人間が擬人化された二指に図案され、一歩ずつ階段を降り、今まさに地球に連動する時限発火装置にさしかからんとする恐怖を描いています。しかしながらその恐怖は、擬人化された指と破壊される地球儀との組み合わせによる物象作用のために、どこかリアリティを感じさせない逆説が成立していいます。このリアリティのなさこそが、真の恐怖であることを作品は投げかけてきます。また「やがて《時》の呪縛から解き放たれて」は、人類が背負っている業を人間が自らの手で解消するや否や、人類は歴史から消滅してしまう逆説を描いています。悪こそが人間の真実であるという金言が重たく読者の心に響きます。

所ゆきよしは、どんなに重々しく耐えられそうもない現実であっても、ファンタジーの精神を忘れないことが、希望を生み出すことを教えてくれます。来襲するミサイルを雲がキャッチする「雲よ つかめ!」、巨大な移動如雨露機に作り替えられた戦車の開墾と水やりを描いた「武器よ さらば」、人間とモグラが協力し地雷を撤去する「地雷をなくそう」、トキが足型を押し、象が鼻型を押すことで「平和マーク」を完成させる「平和は 協力してつくるもの」など、どの作品においても平和の象徴として人と動物が朗らかに戯画化されています。それは得てして過酷な現実に対するプロテストを信じる者にとっては、無力な遊戯にすぎないとの想いを口にするかもしれません。しかし、すべては「Imagine」…空想そして新たなファンタジーが現実を動かす力を生み出してゆくのです。

森田拳次は、メタファー、とりわけ換喩を駆使し作品の象徴性を見事に高めています。オリーブではなく原子力マークを加えているために箱舟に乗船することを拒否される鳩を描いた「Imagine…!?」、ピースマークに磔されたキリストを描いた「心に描いてごらんよ　天国なんてないってさ」、鳩がくわえたオリーブの実が、爆弾となって世界を焼き払う「僕たちの頭の上にあるのは空だけだ」は、平和の象徴である鳩が何を嘴にくわえるのか、またその実でさえ、使い方によっては災厄になりかねないこと、さらにキリストでさえ、平和のための戦争によって再び磔にあう、そんな逆説的な失望が描かれます。しかし最終三作品は、そうした逆説をひっくり返します。LGBTの象徴であるレインボーフラッグ、その五色が転写されたピースマークの二指が、テロにより切り取られた世界貿易センタービル（二棟）に重ね合わせられます。ジョンの眼鏡に刻印された虹色のピースサインとともに…。

矢尾板賢吉は、人間の多様性の素晴しさを時にリアルに、また時に軽やかに描き切ります。「天国会議」「神の武器掃除」「ミサイルハンター」では、手前の平和のために自前の戦争をおこなう人間のあさはかさを、神様が鮮やかに裁いています。それは戦時において「ゲルニカ」の悪夢を砲撃する「ゲルニカの夜」、平時において「戦争の傷跡」を観光化する「外貨かせぎ」にみられる人間の手っ取り早い欲望への戒めにもみられます。こうした第三者的な人間への審級感覚は、神仏が私たち人間の願いから生まれたものでありながら、理性と野蛮に等しく利用されつくされる愚かさを教えてくれます。こうした不完全な生き物である人間を生み出す愛…最後に作者は男女の営みの真実を描き出します。すなわち「Imagine」…すべては、ここから始まっているのです。

ミナトレナトス　二〇〇三年　一六〇〇円（税別）

Keigo『#ケイゴ式』

二〇一二年にInstagramでイラストを描きはじめたという著者。そのイラスト群は「日常で当たり前とされる『モノ』と『コト』の足し算・引き算を試行錯誤し」た紛れもない風刺滑稽的世界を描いています。『#ケイゴ式』はそれらの「実験結果の報告書」（二〇二点の発案）として私たちを楽しませてくれるイラスト集といえましょう。

じわじわっとくる笑いは、その作品世界の特性をよく物語っています。その内容は、一．日常世界の価値の転換によるユーモア、二．非日常世界の日常化によるブラックユーモアとペーソス、三．理想と現実の差異がもたらすホラー、四．環境による個の矯正が生み出すペーソス、などに大別できるでしょう。作品に共通する笑いの種は生涯にわたり続いてゆく現実を生きる

Keigo『#ケイゴ式』

ことへの、ほんの少しの違和感からもたらされているように思えます。

例えば、一には、日頃飼い犬と素顔で接したことのない覆面レスラーが、素顔で接したところ吠えまくられる「#喜#怒#哀」、クリームで表面を覆われた太い木柱からなるアイスキャンデー、しかも騙された感満載の巨大な「ハズレ」の印字がダメ押しする「#増量」、スプーンなんだけど、内側がフォーク型にくり抜かれているために飲食不能な「#フォプーン」などがあります。「#喜#怒#哀」は、実（素顔）が隠されていることにより、実は虚（覆面）が私たちの正常な日常を覆い隠していることを実感させますし、「#増量」はもはや本質（クリーム）が逆転して虚飾（木柱）を隠している世界がまっとうであるかのような錯覚を描き、「#フォプーン」は、機能の異なるものを見かけ倒し（印象）が、現実にはなんら役に立つことがないものの価値を吊るし上げる滑稽を描ききっています。いずれの作品も私たちが思い込んでいる正常な日常が、実は普段意識されることのないほんの数パーセントの虚構の上に成り立っていることに気づかされます。それはどれも現実が虚を包み隠し、虚もまた現実の被膜奥深く浸透することで、世界が笑いに包まれていることを知っている著者の諦観が溢れんばかりです。

また二には、犯人の手配写真を示す犯人と同じ顔をしている警察官の「倒錯」が描かれる「#コピペ　#髭以外」、テレビドラマの「ひそひそ話」シーンの会話を聞き取ろうとボリュームを八七まであげる視聴者を描く「#我が家は　#18～20」、きらびやかなカップル用「コーヒーカップ」と独身者仕様の「紙コップ」の対比から、一人遊園地の「コーヒーカップ」に搭乗している独身者の悲哀を描く「#休日　#既婚者」などがあります。「#コピペ　#髭以外」は現代社会がすでに、善と悪、警と犯の明確な区別をなくしていること、ただ役割としてそれらが機能しているにすぎないことを言い表し、それはまた両者の交換がいとも簡単にかなう記号化された社会であることを示しています。また「#我が家は　#18～20」は、ひそひそ話を聞き取りたいと願う私たちの願望が、滑稽にもテレビドラマの世界への叶わぬ視聴者の意識介入を引き起こし、虚構（ドラマ）が現実（視聴者）に浸透した結果として、私たちは虚構をたやすく操作できるに違いない、という思い込みをしていることに気づかされます。さらに「#休日　#既婚者」は、目に見えない表象上の差異（コーヒーカップ）を具現化することで、現実的な悲哀を醸し出す皮肉表現がとられています。いずれの作品も、虚構世界が日常生活へ浸透しきった現代において、日常は非日常的要素によって構成されているにもかかわらず、私たちが無意識に日常を標準化し、非日常をできるだけ排除しようともがく滑稽なさまを、まざまざと見せつけてくれます。

さらに三には、刑務所の面会室（アクリル板）にたとえられたマイホームのガラス窓に「通声穴」を描く妻とガラス越しに衝撃を受ける夫の姿を描いた「#メリークリスマス」、一人では持てない重い荷物を持つ自分の姿を等身大の鏡に映しあてることで分身の力を借りようとする配送員を描いた「#人材」、崖っぷちで自分の影を引き上げようとする男に影がささやく「#もう少し　#下がってくれ」などがあります。「#メリークリスマス」は、妻には刑務所の面会室のアクリル板にみえるガラス窓が、夫には我が家と外を隔てる一枚の「透明な板」にすぎない二人の心の温度差が、冷えびえとする笑いをしのばせています。また「#人材」は、鏡に映る自己を相棒にみたてたものの、鏡の前から一歩も身動きがとれなくなった配送員の悲劇を、私たちの心の牢獄としてブラックに描いています。「#もう少し　#下がってくれ」は、男性の影（本心）が死を忌避しようと懸命に男性にすがりつくのに対し、男性は崖に近づこうとするパラドクスの相様が秀逸です。いずれの作品も、愛の喪失、労働の疎外、人生の末期というとても重篤な人間の悲劇をさりげなく描いています。

最後の四には、なんらかの基準にあわせなければ不安で仕方がない現代人の性質がよく描かれています。まずそれは、陸上トラックのスタートラインを首の長さ分だけ後ろに下げられたキリンの姿を描く「#向い風」、仲間とともに撮影に応じるために山岳登頂部より低い地点にとどまるキリンを描く「#絶景　#達成感　#悪寒」、顔（鼻先）が長いためにサンドバックに拳が届かないボクシング選手のワニを描く「#伝説の右」など、動物の身体表象を通してマイノリティの悲哀をさりげなく描き出す作品がそこにはあります。「#向い風」が滑稽に感じるのは、キリンの首が長いだけで有利とみなされる「不平等」にあります。そもそもワニ、ウサギと競わせる大前提そのものが間違っているわけですが、この欺瞞溢れる形式的平等こそ、著者が強く抱く最大の違和感（引き算）なのでしょう。「#絶景　#達成感　#悪寒」は、首が長いだけで仲間内に入れないキリンの悲しいまでの自己環境順応が描かれています。ここではキリンのアイデンティティはすべて関係性のなかに溶解しています。また「#伝説の右」は、腕がサウンドバックに届く前に、鼻先が対象にあたってしまうワニの苦悩が描かれています。この自己矛盾に立ち向かうワニの姿は、本人の悩みとは別にとてもユーモラスな姿に描かれています。

さて、先ほども何点か登場しましたが、二〇二二点にものぼるイラストにおいて、著者自身の分身とも思われる、最も思い入れの強い動物、それがキリンです。三五点に及ぶキリンが登場する作品は、首の長いキリンのほかの動物たちとの違和感と屈辱を次々と露出しています。卒業アルバムでは一人囲い写真になるキリン、テレビモニターで映るキリン、オリンピックでは表彰台に一人、テレビモニターで映るキリン、サッカーのフリースローで自分の首にボールをあててしまうキリン、天井が高い部屋でなければ手術ができない医者のキリン、横長のテレビモニターにはいつも顔が映らないキリン、映画館ではいつもスクリーンに首と顔が映り、迷惑をかけるキリン…たたみかけるようにキリンの悲劇がこれでもかこれでもかと描かれてゆきます。こうしたキリンの様子を読み進めるうちに、私たちはだんだん内なる自分が目覚めてくることに気づかされます。もしかするとキリンは私自身そのものなのではないかと。著者の想いは、ここでは共感（足し算）となって私たちの心を潤し、満たしてゆきます。

実業之日本社　二〇一八年　一三〇〇円（税別）

『所ゆきよし漫画集　9』

『所ゆきよし漫画集　9』は、一九八二年に刊行された二九の作品からなるヒトコマまんが集です。その作品世界は親しみやすいユーモアに満ちていますが、作品世界の内側から外の世界（現実世界）の透視を可能とする見えざるリアリティが、読み進めるほどに効いてきます。その作品は、二つの特色が効果的に作品の面白さを際立たせているように思えます。それは、①「水平—垂直」の二項対立の意味する世界を構図において効果的に再現していること、②「ミクロ—マクロ」その二重性を様々な象徴表現に昇華することで作品に奥行きをもたらしていることにより、③現実に対するユーモアセンスが満ち溢れてきます。

二九の作品にはタイトルがついていないため、ここでは仮タイトルとページ数をつけて、特徴的な作品をいく

『所ゆきよし漫画集　9』

つかご紹介いたします。まずは①に該当する見開き二頁の作品からです。頭部を地上に出し地中深く埋もれたミサイルを風車として再利用する「ミサイルから駒：二二―二三頁」（図1）は、右頁に大きくミサイルが上下に配置され、水平線は画面の上部三割ほどに引かれミサイルの頭部を地上に残し、七割が地中深く埋もれています。画面を四分割した場合、構図的には右側は視覚的に重く、特に右下はとても重く感じさせる配置を生み出すために、不発弾となったミサイルの存在感、強い威圧感が示されています。それはまた水平線から下部七割が濃度の濃いグレーで配色されていることと風車に平和利用されているミサイルの頭部が描かれている上部三割の白い背景のコントラストにより、地中（戦争と絶望）と地上（平和と希望）の対比を強くもたらしています。そして、わずかな地上スペースには風車を描く画家、「戦争遺跡」を見物にくる観光客が小さく描かれており、それは平和な日常が広大な地下スペース（戦争の犠牲）により常に上部方向に圧迫されていることがわかります。平和への希望は常に七割の戦争と絶望によりもたらされているわけです。しかし、この左頁から続くグレーのコンポジション（四辺形）は、また右頁のミサイル（長方形）に「冷気」を伝え続け、戦争への「熱気」を冷まし続けていることも理解できます。ここでは絵柄の親しみやすさと異なる

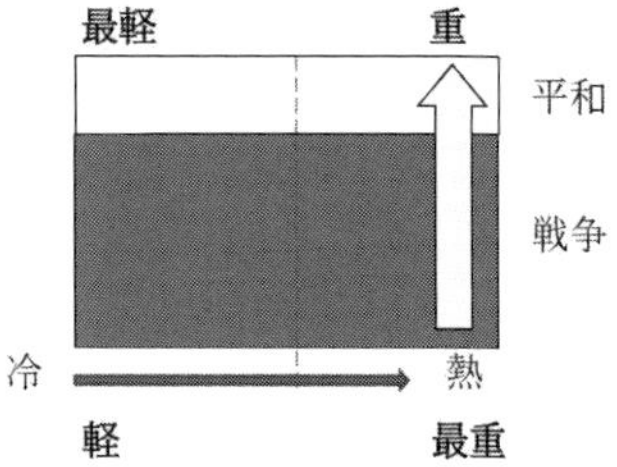

図1

冷徹な構図のリアリティがミサイルの存在感をさらにブラッシュアップし続けています。

さて、次の勉強しない息子に捕虫網を手渡し、宙に舞う本（蝶）を無言でつかまえるよう命令する母親を描く「無限の夏休み：四四―四五頁」（図２）は、「ミサイルから駒」とは逆に、母親を左頁に立たせています。これにより重々しさよりも、未来への指向性、可能性（天空）への積極姿勢をたやすくみいだせる図柄になっています。また母親の天を示す腕と指が、絵そのままに天（可能性）示すインデックス（指標）となり、開かれた本が宙を舞う蝶そのものの形象となり、蝶の群れが無限大（∞）を表すことにより記号的象徴性へと連動していることも、いっそうの軽快感をもたらしています。無限大の意味するものは、学習への無限の可能性といえましょう。ここで比喩的に面白いことは、母親が息子に捕虫網を手渡す腕（水平）が、天に掲げられる捕虫網（垂直）を結ぶラインとしても機能しており、天に通ずる梯子のようにも見ることが可能なことです。親子の心の通い合いがシルエットを通して伝わってきます。以上二つの作品から、所ゆきよしの作品は「水平―垂直」の構図が作品として効果的に生かされていることがうかがえます。

次に「ミクロ―マクロ」の二重性を様々な象表現に昇華することで作品に奥行きがもたらされている作品をご紹介します。動物たち

図２

が集められたノアの箱船に巣くうつがいのシロアリが発見される「箱船の危機：一〇—一一頁」（図3）は、ノアが建造し動物のつがいを集めた木造船そのものに、シロアリのつがいも「搭乗」していたというユーモア作品です。マクロで確認できるノアをはじめとする動物たちに対して、ミクロなシロアリには「虫眼鏡」（拡大鏡）があてられています。作品は目に見える「救済」と目に見えない「危機」は常に隣り合わせであることを教えてくれますが、船の舳先は未来に向けた女神のポジションを示しており、幸福を約束されているかのように思えるため、そこにかすかなユーモアが漂います。

　この手法は、拡大鏡で宇宙をのぞきみる科学者の眼が、逆に宇宙の眼として顕微鏡で科学者の眼をのぞき見る「眼は宇宙の窓：三〇—三一頁」（図四）のユーモアにも受け継がれています。

　人間の眼と宇宙の眼によるレンズを通した「ミクロ」と「マクロ」の往還は、人類がその好奇心の象徴である視覚を通して望遠する巨視的宇宙（マクロ）が、宇宙全体からみれば、ほんのわずかな微視的世界（ミクロ）にすぎず、それは人間の無限大の可能性を明

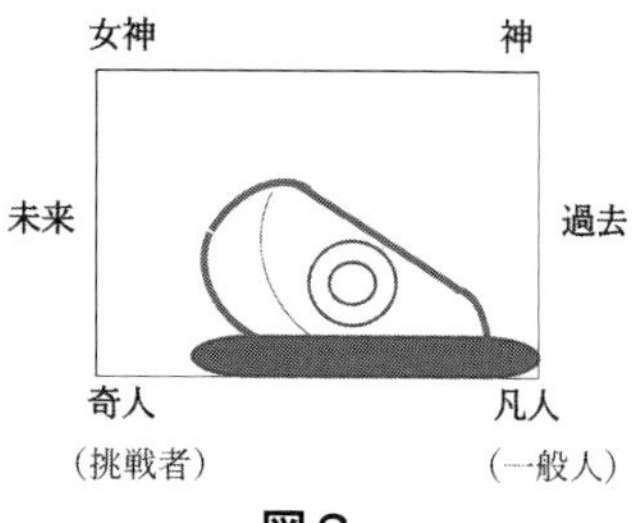

図3

図4

示するとともに、その無力な存在感を暗示する構図がとられています。しかしなぜ、右頁は宇宙と同じ暗黒で示されているのでしょうか？　ここには構図上のポジショニングそのものがその暗示を意味するものとなっています。人間が立つ位置は常に「挑戦者」のポジション。しかしそのチャレンジは未来永劫、神の領域には届くことはない。私たち人類はいまだ、森羅万象に対しては盲目なのだ、そのようなメッセージが込められているように感じ取れます。

二九の作品のうち紙幅の関係で四つの作品をかいつまんでみましたが、最後にもう一作品について寸評を添えます。表紙にも採用されている「タイヤの悲劇：三二―三三頁」は、一九八二年の作品ですが、安倍首相によく似た看守が、交通事故による死を招いた犯人の代わりにひとがたのついた「タイヤ」を収監するシーンを描いています。明確に「冤罪」を意図する作品ですが、人の代わりにタイヤが収監されている皮肉こそが、八二年においてすでに現世界を透視する作品であったということができましょう。今では為政者の代わりに監獄には多数の改竄された「統計書」がその罪をきせられてお蔵入りさせられているのですから。

私家版『所ゆきよし漫画集　9』一九八二年

山口マサル『ToLiI 鳥居をつくろ』

「鳥居」にまつわる風景が、全一八九作品にわたって描かれており圧倒される勢いがあります。なぜ著者が「鳥居」をモチーフに描こうとしたかについては不明ですが、日常の風景に溶け込んでいる神社が、神界の領域にあること証明するために鳥居を建立していることは間違いないようです。鳥居を見ること、それを描く行為は、きっと神様と私たち人間がつながっていることを、思い起こさせてくれるきっかけになるに違いありません。著者のポップな絵柄は、その関係を目に見えるユーモアにまで高め和ませてくれます。

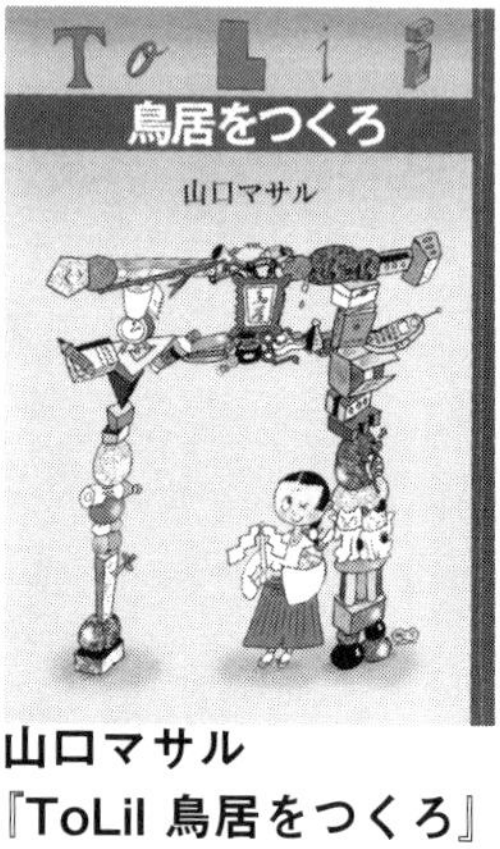

山口マサル
『ToLiI 鳥居をつくろ』

　それでは一八九を数える「鳥居」作品をいつものように分類してみましょう。以下六点に分けることができそうです。

①神格化された人為：「鳥居つき神社車」「「鳥居にシャッター」「鳥居髭」
②人為化された神意：「鳥居ジャグリング」「ジャグリング鳥居」「鳥居の下の竜」
③本源的自然の威光：「椰子鳥居」「枝鳥居」「青い鳥居湖」

④形骸化する神意：「芸術作品の鳥居」「刀掛け鳥居」「鳥居拓」
⑤神形としての文明：「パンタグラフ鳥居」「鳥居交差点」「ビル明かり鳥居」
⑥同一化する神意と心意：「鳥居化粧まわし」「鳥居工事中」「掘ったら沸いた鳥居温泉」
などがそれです。ここでは各分類に基づき多数ある作品から三つずつご紹介しましょう。

まず①は、ミニ鳥居が自動車のエンブレムになった「鳥居つき神社車」、神社への出入りを制限する鳥居の「空間」がシャッターになった「鳥居にシャッター」、神主の髭が鳥居の形になった「鳥居髭」などの作品があります。どれも鳥居の形象を利用し神の威光にまで人為を高めるユーモラスぶりが描かれています。外観を象徴的に整えれば、まずはそれらしく偉くみえる。それらしい威光をてっとりばやく明示することができる。そんな人間界に溢れる滑稽さがユーモアたっぷりに微笑ましく描かれています。

②は多数の「鳥居型」の模型を巫女さんがジャグリングしながら神を弄ぶ「鳥居ジャグリング」、同じく巫女さんが多数のお手玉で空中に鳥居を描く「ジャグリング鳥居」、鳥居の参道の石畳が竜の背鱗で描かれている「鳥居の下の竜」などが該当します。「ジャグリング」作品は、どちらも神の威光が人気商売を象徴する巫女さんによりあしらわれていることを示し、「鳥居の下の竜」は、そうした人為が竜神（自然）との関係において人間の無力さを忘れることへの警鐘を発する作品になっています。ここで気づかされることは、風刺滑稽と絵柄との関係性です。

たとえばシャープな線、切り口鋭いモチーフで大胆なテーマに切り込み、細い線の集積によるトーンの陰影が多様されるほどに、作品そのものは風刺性を強めますが、著者の筆致は軽くまろやかな線種が手伝い、私たちをリラックスさせてくれるゆるやかな滑稽さを醸しだしています。

③は孤島に一人流された男が、椰子の木を鳥居にみたてて夕陽を拝む「椰子鳥居」、航空機から見下ろした鳥居の形をした湖の水面が蒼く透き通っている「青い鳥居湖」、自然の木立が鳥居のように見える「枝鳥居」、などがあります。人間は大自然と向き合ったときに、初めて自分が自然の一部にすぎず、自然とともに生きていることを実感できるようです。大自然に神聖をみいだし、その神性を日常生活にみいだすことができれば、私たちは幸福に生きることができましょう。しかし、それがままならないことから自然とのつながりは無意識に鳥居の形に象徴化され、日常のなかに建立し続けられるのかもしれません。

④は自然の神性が象徴的に還俗化された鳥居が、さらに芸術の手法により神の領域に再び祭り上げられる皮肉を描く「芸術作品の鳥居」、武士道にとって鳥居は崇め奉る象徴ではなく、実用的に使われてこそ価値があるものと軽んじられる「刀掛け鳥居」、神の威光は死んだとばかりに標本としてのみ機能する「拓」を「鳥居」に施す「鳥居拓」などがあります。ここにはありもしない神の威光を人為に利用する滑稽さを、また私たちの日常において、神社はもはや年末

年始の福を授かるだけのご都合の産物になっていることを明示しています。
⑤は④の作品の延長上にある作品です。それは金型の鳥居が電車を動かす電気軌道を司る媒質として機能する「パンタグラフ鳥居」、交通信号機が鳥居と一体化した「鳥居交差点」、建築物ではなく、巨大な光のオブジェなって記号化した「ビル明かり鳥居」などの作品が該当します。ここには大自然の驚異を制御するために生み出された文明の象徴として、神界を代表する鳥居が再利用されています。時に私たちは自然の脅威により心新たにさせられることもありますが、都市における文明生活の日常は自然の猛威をいとも簡単に忘れさせます。都市になじむ鳥居は、ここでは人間の自然への畏敬を取り戻すための装置として現象しているように思えます。
⑥は相撲取りの化粧まわしに描かれている鳥居がその強さを保障するような威光を放っている「鳥居化粧まわし」、腕を骨折している人と鳥居の修繕箇所に施された包帯（三角巾）が、神の親しみやすさを明示する「鳥居工事中」、鳥居の横から湧き出す温泉で賑わう人々を描いた「掘ったら沸いた鳥居温泉」などの作品があります。ここには日本人が自然の災厄にあらがいながらも、その恩恵を授かりたくましく生きている姿が描かれています。
鳥居には目に見えない神の領域を視覚化する機能がありますが、『ToLiI 鳥居をつくろ』は、私たちの日常の無意識が投影されているばかりでなく、神社そのものが森とともにあり、自然

は人間が生まれた場所であることを思いおこさせてくれます。著者の「みたて」は、神に対するイマジネーションが豊かであればあるほどに、また私たちの世界も豊かであることを描いてくださっているように思います。

HEW　二〇一七年

ヒサクニヒコ『ボクの好きなシマウマ ―サバンナからの伝言（Letter from SAVANNA）―』

二五回にわたり、アフリカの大地を踏み続ける著者は、なぜ象やキリンではなく、ましてやライオンでもなく地味なシマウマに愛情をもち続けることができるのでしょうか？最初はそんな不思議な気持ちで画集を手にとりました。しかしながらページをめくるたびに、まえがきにあるアフリカのサバンナでは「シマウマの群れは若くて元気な個体だけで

ヒサクニヒコ
『ボクの好きなシマウマ
―サバンナからの伝言
（Letter from SAVANNA）―』

形作られていたのである」という言葉を読み起こし頷くことしきりでした。

野生のシマウマの魅力を作者ほど体感している人はいません。しかし、それは保護者や密猟者の立場にあるものではなく、ただただアフリカの大地の過酷さと大らかさの体験から、人間と動物との関係性をユーモアに包み込む作者ならではの観察眼が発揮されています。全四二作品はどれも豊かな風刺滑稽の様が描かれています。

まず一つめは、シマウマの視点でみるサバンナ世界、二つめはシマウマと他の動物との関係性からみえる世界、三つめはシマウマと人間との関わりからみえる世界です。そして作者の見取りの真骨頂は、シマウマをはじめとする動物たちの表情の素晴らしさ、その図案のアイデアにあります。世界を見る視点と世界を再設計する図案の組み合わせから、作者ならではの独自世界を造形しているのです。

では、作品の特徴をみて参りましょう。一つめの世界はシマウマの視点、サバンナで暮らす彼らのコンプレックスがモチーフになっている個性的な作品群です。首の長いキリンは高い所にも顔が届くので食事にも苦労しないことをうらやむ「キリンはいいなー」、どんなにライオンが「正装」し上品に襲ってきても、しょせん食べられる運命にあるシマウマの恐怖を描く「テーブルマナー」、体面が白なのか黒なのかで自己のアイデンティティを問うシマウマの悩みを描く「どっち?」など、読み進めることにより、読者はだんだんシマウマの気持ちに近づいてゆくことができます。二つめの世界は、シマウマのコンプレックスを他の動物との関係において客観視する作品群です。主人公であるシマウマを狙うライオン、そのおこぼれに預かろうとするハイエナ親子、そしてその現場を撮影しようとする人間たちが一堂に会する「みんながライオンの狩りを待っている」、群れで河を渡るシマウマの一頭の下半身を剝ぎ取る鰐の姿を描く「河渡りのリスク」、安全のためにシマウマを背にのせ河渡りをするカバを描いた「カバタクシー（ヒッポポタクシー）」など、実際にはこうした現実はありませんが、そのみとりによりサバンナの生態、動物たちの共生関係がありありと浮かび上がってきます。

三つめの世界は、シマウマと人間との関係を明示し、人間文明とは何かを問う普遍的な作品群です。象牙めあての密猟者が生きたままの象の牙にデザインを施す「現場でやれば合法と思ったんです」、シマウマに扮し密猟にいそしむ人間たちに憤りをみせるシマウマの姿を描いた「密猟者だ！」、国境を挟んで密猟者に身体を真っ二つに裂かれたシマウマの悲劇を描く「まて、国境を越えちゃダメだ！」、サバンナで暮らす人々が、シマウマへの愛情を星空に託す「シマウマ座」など、動物に対する人間の欲望が露わにされる作品とサバンナの動物たちと共生する現地の人々の願いを見届ける作品が対照的に描かれています。

その表現は風刺と滑稽が対立することなく、滑稽色が強い作品には風刺が隠し味として効き、風刺色が強い作品は滑稽が妙味となって溢れていることがわかります、そのユーモアセンスはまさに作者のお人柄を彷彿とさせるものでありましょう。この表現力はコンセプトではなくセンスを通してデザインされ、テーマへと昇華されてゆきます。

そうした四つめの世界は、目を楽しませながら読者がテーマを感じ取り、最後に作品のコンセプトへとたどり着く道筋を明快に表しています。たとえば「最近の若者は！」では、頭を金髪のモヒカンに逆立て、体面の縞を赤と水色、緑と黄緑に色分けする若いシマウマをにらみつける大人のシマウマを描いていますが、得意げな若者と訝しげな大人の対比が表情豊かに描写され、私たちの既視感をくすぐってくれます。それは大人のシマウマが少しシリアス（風刺性）に描かれ、若者のシマウマがややユーモアタッチ（滑稽性）で描かれていることから場面の印象が極立っています。また「音階」では、機嫌よく鼻歌を歌うシマウマの縞がピアノの黒鍵にみたてられ、カラフルな鳥たちがその縦縞模様をつつき演奏を楽しむ姿を描いています。目に入る絵そのものが豊かな味わいを感じさせてくれる作品です。これはシマウマも鳥たちものどかに、どこか暢気に描かれることによって、過酷なアフリカの大地にも幸せなひとときがあることを伝えてくれる作品になっています。

「ボクの好きなシマウマ」を読み進めると、しだいに作者のアフリカの大地への愛をはるか超えた「生の信頼」のようなものを感じ取ることができます。動物間にある食物連鎖はその捕獲の瞬間は悲劇になりますが、種族の系統発生を維持する目的においてはバランスのとれたシステムそのものといえるでしょう。作品は、自然の摂理に寄り添い、あたたかく見守りながら、そのバランスに介入する人間（密猟者）への怒りを潜ませています。サバンナの摂理のなかに存在しない人間は、動物たちに手を出すな…ユーモア表現のなかにも芯があるのは、この確かな感情があるからではないでしょうか？

企画・編集・発行：PtoP　二〇一九年　一三二〇円（税込み）

江戸川五郎『EDOGAWA GORO／江戸川五郎』

タイトル名がすべてを表しているとおり、本書は漫画家・江戸川五郎の神髄がくまなく披露されている一冊です。その全九二作品は著者の軽やかなユーモア人生をともない、思わずクスリと微笑むほどに、その空想の世界に私たちを誘ってくれます。とりわけ印象的なのは作品が自画像の喩で構成されていることです。その始まりは左向きの横顔（X）と右向きの横顔（Y）は正面の顔を介して認知する場合、その対称性が相同性としてイコールで

江戸川五郎
『EDOGAWA GORO／江戸川五郎』

結ばれますが、俯瞰でみた立体像（Z）は等しくない。それは「なんのことも無い」という自己認知に始まっていることです。これは読者がカートゥーン作品を観る場合に、まず外観、すなわち「ただ眺める」段階（X）から内観「作品のなかにはいって見る」（XとYを比較して見る）、そして客観、すなわち二つの主観（外観と内観）を最後には俯瞰像（Z）として観る、その無意識を見識として言い表したものになっています。

こうした知見がさらりと、冒頭でほのめかされていることは作者の優れた理に基づく世界認識を表しているものといってよいでしょう。そして次ページからの各作品「江戸川五郎」「紳士来たりて、ものを云う」「漫画は私を助けてくれる」は、作者自身の人生を月の満ち欠けにたとえた秀でた象徴表現になっています。自身を三日月にたとえる作者は、新月から下弦の月、そして満月から上弦の月、最後に三日月から新月へと、満ち欠けにおいて新月（ダークサイド）にいたるその一歩手前の三日月にこそ、自身の実存をみいだすものとなっています。そして三日月は女性と過ごすときにおいて太陽の季節を迎えることになります。

彼女とシーソーに乗り、口にした「I LOVE YOU」の言葉の分だけ彼は軽くなり、シーソーが彼女のほうに傾く「バランス」は、その言葉を包むフキダシが、彼のシーソーが下がらないように支えとなって彼に責任の重みをまっとうすることを教えます。またストレスをためた二人が言葉を吐き出すとともに、その大きな頭が小さくなる「カタルシス」は、会話の内容ではなく、喋ることそのものが目的である現代の「対話」の無意味さを伝えています。そして喋っている言葉の不誠実さは自分の責任でないとばかりに、口のなかに他者を住まわしている「云々」は、前二者同様、言葉に対する猜疑を介した現代社会の不誠実さを直ちに言い表すものになっています。

しかし、そうした暗黒に導かれる三日月たる作者の自身への信頼は、一〇・一一・一二ページの「無題」の作品から力強く漲ってきます。寝ている自分（就寝）が立ち膝の自分（休養）を支え、それがまた立ち続ける自分（仕事）を支える自画像（一〇頁）、頭でっかちの頭が飛び出し、小さな頭に生え替わる自画像（一一頁）、今までの自分を支えてきた仕事の柱を自らが断ち切る自画像（一二頁）と、著者は三日月となり、新月をともにし、やがて満月にいたる月例を太陽（女性）とともにユーモラスに過ごしてゆくのです。

さらに本書の作品は大別すると四つの表現方法（人生描写）がとられています。一つめは自罰のユーモア、二つめは環境適応のユーモア、三つめはバランスのユーモア、四つめは孤独（孤島）のユーモアです。一つめの作品群には、太陽に銛を打ち、その陽の上昇とともに伸びるロープを首にかけ自殺する自罰（一四頁）、何者かの目にはしごをかけ、入り込んだものの、はしごが檻になりでられなくなる自戒（二一頁）、体重計に乗る女性が軽くみせようとロープに首をかけて足を浮き上がらせる「えいえいやーっ」などがあります。前者は三日月紳士らしい壮大な自死を描いて悲壮感がなく、自殺でさえ大きな仕事をやりとげる達成感が溢れて思わずニヤリとしてしまいます。また次者は、自分の見識を信じることができず、他者の目になり代わって世界を見ようとする者が、自信喪失する様を描いています。こうした作品は見る者に限らず作者自身への強い戒めとしても働いています。最後は体重を減らすことに、まさに命がけの女性の存在の軽さが、体重計の「0」を指し示しており、絵柄は柔らかい線で描かれていますが、その内容はとてもブラック（自嘲的）な作品になっています。

二つめの作品群には、地面を掘り、その土でまた地面を埋め戻す「満足な仕事」、左右から掘り進んでいるトンネル工事が、あと数センチのところで、上下に軌道を変えて開通しない不満足な仕事、地面の凸凹状態にあわせてスプリングが伸縮して通常走行を可能にするトラックのタイヤ（三四頁）などがあります。よく考えてみれば、人生において「埋め戻す仕事」や「ほんのわずかの失敗」ははなんと多いことでしょうか。下手をすれば人生の半分はかような失敗を「埋め戻す仕事」をしているのかもしれません。また伸縮自在のスプリングつきタイヤのように、事前の準備いかんで私たちはうまく環境に適応し生き延びることができているのでありましょう。

三つめの作品群には、人生の半分を過ごす女性との生活バランスがユーモラスに描かれています。人生の道行きが自動車の移動にたとえられ、あるときは前後に一つずつハンドルがある自動車に乗り込んだ男女、またあるときは左右に二つハンドルがある自動車に搭乗する男女を描き、さらには、女性の自動運転を男性が人力駆動で支える姿を描き出しています。そこには自動車の進み方に男女二人の人生模様が象徴的に描かれています（三六頁）。そして様々なライバルを蹴落として彼女を射止めるための努力が、三日月紳士によっておこなわれてゆきます（五四～五六頁）。しかし、ケーキ入刀により二人が真っ二つになる披露宴（五二頁）、花婿の持つ花束にコブラがすみ、花嫁がそれを操る姿（五三頁）は、その生活の前途多難ぶりをほのめかすとともに、どことなく幸せな香りがほのかに匂ってきます。それは人間の幸福がその関係性において適度なバランスの上に成り立っていることを見通しているともいえましょう。

四つめの作品群は、孤独との付き合い方を通して人生を考える内省的な諸作品です。。孤独であるからこそ、孤島に独り生活していても都会の喧噪を懐かしがってしまう心情が描かれています。そのなかでも、椰子の木に電車のつり革をかけて読書する男を描く「脱サラ」、都会の高層ビルの屋上に孤島をつくり、独り孤独を味わう「都会派」、孤島の地下に文明生活を再現する男を描く「これでよし」、サメに釣り糸を引っ張らせ、孤島を移動させる「大物」など、人間は独りで生きているつもりでも決して独りでは生きてはいない、そうした様子がまざまざと描かれています。

こうした四つのテーマは、三日月紳士たる作者が人生の陰の縮図としてある「自罰」と「孤独」から人間を救うために、社会への「環境適応」と異性との「バランス」である陽の縮図を保つことが肝要であることを教示しているかのように思えます。その意味から、江戸川五郎の世界は、己を知り、そして人生の法則を知る、理知のユーモアであると、いい切ることができましょう。

A&M出版　二〇一九年

日本諷刺画史研究会　清水勲『保存版　諷刺画研究』

本書は清水勲が創刊号（一九九二年一月二〇日発行）から第五五号（二〇一〇年一月二〇日発行）にいたる一八年の間、発行し続けた「諷刺画研究」各号を保存版として再印刷、製本し、封函したものです。それは清水自身の手による諷刺画家紹介、諷刺画史年表、諷刺画名作紹介、幕末諷刺画資料、明治戯画錦絵研究、東南アジア漫画文化調査報告、トバエ研究、ジョルジュ・ビゴー研究の連載を柱とし、本誌を支援する湯本豪一による『パンチ』研究、片寄未嗣による「昭和漫画私史」の連載、毎号書き手が交代

日本諷刺画史研究会
清水勲編
『保存版　諷刺画研究』

し諷刺画の魅力を語る「諷刺画―私の一枚」など多数の優れた企画からなる第一級の諷刺画研究の資料集といえるでしょう。

清水勲の仕事は、数千点にのぼる希少な戯画浮世絵、風刺漫画雑誌の資料収集、その資料紹介の第一人者として、まず評価をされますが、資料に基づく丹念な書誌研究、年表作成から、とりわけジョルジュ・ビゴーの研究は他をよせつけないほどの厚みがあります。今でも五五冊の冊子を読み返しますと清水勲のその諷刺画、漫画に対する情熱と行動力が感じ取られ、初めてお会いした日のことがまざまざと思い起こされます。それは確か一五、六年ほど前、日本マンガ学会カートゥーン部会の懇親会で開口一番、「あなたはカートゥーンが好きなんだ」とニンマリされ、「本を百冊書けば大学教授になれる」「君も頑張りなさい」と激励された想い出です。清水勲のチャレンジ精神は、当時の私にはとても頼もしく、粘り強いものに思えました。

さて、「諷刺画研究」を読み返しますと、そこには清水勲のさらなる魅力をみいだすことができます。一つは度重なるアジア諸国への漫画状況調査、その報告、欧米での研究、講演などグローバルな活動をおこなっていることです。『諷刺画研究』の眼は、日本に留まることなく、むしろビゴーのように海外視点を日本の漫画研究に投入する視軸を持ち得ていることがわかります。それは清水がビゴーの子孫と交流をおこなう傍ら、J・レント「アジアの漫画」「アジア漫画のアメリカからの影響」、ホンイン・リウ・レンイェル「中国漫画略史」など、「諷刺画研究」

においてのみ実現した連載があることからもうかがえます。二つめは、ビゴーに次ぐ、第二のキーワードである柳瀬正夢研究です。プロレタリア画家であり、漫画家であった柳瀬正夢に対する清水のなみなみならぬ関心はビゴーに次ぐ紙面を「書籍」全体で割りあてています。とりわけ第一五号の「柳瀬正夢の諷刺画　見直されるその描法と抵抗精神」は、一五頁中八頁の誌面を割き、柳瀬の作品と生涯を解説し、清水の諷刺精神に対する考えが力強く表出しています。

「さらに柳瀬なら『岡本一平』をもじった『岡山一平』を筆者名に使用する着想あるいは動機が十分ありうる。柳瀬は岡本一平の漫画思想と相いれないものを持っていたからである」「『日本軍閥の末日』は、太平洋戦争期を柳瀬がどう生きたかを証言する象徴的な作品といえよう。それはまた、抵抗の画家・柳瀬正夢の信念を明示するものであるといえよう」

この力強く明解な筆致は、清水が諷刺画、カートゥーンに批判精神、抵抗精神の息吹をみいだしていることはいうまでもなく、それは二〇〇二年の次のような深い嘆きとなって行く末を案ずることにつながっています。

「新聞社の漫画担当記者も、最近はすっかり世代が若返り、コミックで育った人々になってしまったようだ。したがって、カートゥーンの面白さ、歴史的作品の貴重さを理解する記者がいなくなってしまった」「カートゥーンに関しては新聞人の知識や興味のレベルが確実に下がっているのである。近代漫画を育て発展させてきたという自負が現代の新聞人には欠如してい

る」「カートゥーンの歴史を知らないでコミック論を展開している多くのコミック評論家と同一に見えてくる」（第四二号）

二〇年前から大学で「マンガ論」の教鞭をとっている筆者も、清水が嘆いたことについてその時点で実感した記憶があります。学生は諷刺画と漫画はべつのものであり、カートゥーンは絵巻物と同じように古くさいメディアで、漫画（コミック）ではなく、マンガははじめから連コマによる物語マンガであることを信じて疑いません。ヒトコマ漫画がいかに多コマ漫画に発展してゆくのか、清水は『四コマ漫画の歴史』（岩波新書）で詳しく展開しています。その歴史について、海外ではドーミエ、ホガースからテプフェールへ、日本では江戸期の漫画から明治期の新聞漫画を題材にして、ひとコマ漫画から四コマ漫画にいたる、様々な漫画のコマ形態（コマ数）にともなう笑いの変遷について検証する授業をおこなっていますが、これも清水が力説する漫画の歴史にそう内容となっています。

こうしたカートゥーン不在の漫画研究について、清水は第一二号にて四方田犬彦『漫画原論』（筑摩書房）を批判しています。

「『漫画原論』という書名にこだわるとしたら、カートゥーン（一枚絵漫画）の表現方法から出発して論じるべきだろう」「コミックすなわちストーリー漫画の原点はカートゥーンにあり、すぐれたカートゥーンは、すぐれたコミックに匹敵するくらいの長く深みのあるストーリー性を有しているからである」

さらに、清水は『保存版「諷刺画研究」別冊』で次の言葉を残しています。

「戦後漫画史の研究の上で最も遅れているのは昭和二〇年代である。したがって、戦後漫画史の研究者やマンガ評論家は、この時代を語るのを避けてきた。その結果、昭和二〇年代は手塚治虫を中心にしたマンガ史になってしまった」

清水勲が生まれたのは一九三九年、戦争のただ中に幼少期を過ごし、清水が六歳のときに柳瀬正夢は新宿の戦災で命を落としています。柳瀬が治安維持法で検挙され、拷問を受けたにもかかわらず不屈の戦いを遂げたことを、諷刺画研究をおこなう清水は何よりも理解し、その諷刺精神を胸に刻んでいたに違いありません。それはまた「諷刺画研究」を支援し、執筆をおこなった片寄未嗣も多くの柳瀬正夢に関する記述を残していることにもうかがえます。

「諷刺画研究」はその意味からすれば、この国から消えかかっている諷刺精神、批判精神のありかを紐解いてくれる紙誌でもあるのではないでしょうか。現代のマンガが失ってしまった漫画に由来する何ものかを、私たち研究者は真摯に探さなければならないのではないでしょうか。

最後になりましたが、清水勲先生の訃報に接しまして、ご冥福をお祈りし、哀悼の意を捧げさせていただきます。

日本諷刺画史研究会　清水勲編『保存版　諷刺画研究』二〇二〇　臨川書店

あとがき

本書はカートゥーンマガジン『EYEMASK』37―50号（二〇〇九―二〇一五年）、本・子ども・文化・風俗『ビランジ』21号（二〇〇八年）・25号（二〇一〇年）に掲載された風刺滑稽画に関する記事、エッセイからなる第一章、社会文化学会誌『社会文化研究』第15号（二〇一二年）掲載の論文をもとに加筆修正をおこなった第二章、日本笑い学会・関東支部における講演「マンガにみる『笑い』の真価～カートゥーン、ストーリーマンガにおける笑いの効力～」（二〇一八年）をもとに書き下ろした第三章、カートゥーンマガジン『EYEMASK』52―62号（二〇一六―二〇二一年）に連載した「ヒトコマまんが集」の批評、の第四章からなる。

この二〇年間、筆者はサブカルチャーから情報文化へと緩やかにその研究領域をシフトしつつ、途中、博士（情報学）号の取得、物語マンガ、アニメーション研究を主軸に、ひそかに自身の学の体系化、深化を目論んできた。その一方、マンガ研究において、関心をもつものが少ない風刺画、滑稽画の領域において、自分なりの見識が高められることを願い続け、副次的な領域としてカートゥーン研究を選択し、ここまで執筆活動に取り組んできた。それは筆者において終わることのない政治、社会、文化に関する興味を、尽きることのない風刺滑稽画への関心へと向けたものである。

第一章「カートゥーンにまつわる6つの批評」は、カートゥーンが漫画であることへの素朴な疑問、衰退する現代漫画の末席に配置される日本の風刺滑稽画の現状を記し、また風刺精神が日本で衰退した要因を探り、さらにカリカチュアとはまた一味違う日本的な風刺精神のルーツを宮武外骨と赤瀬川原平に求め、またその視野をBLU、バンクシーなどの現代風刺壁画家に拡張し、風刺画のもつ原理性が厳しく指弾された「ムハンマド風刺画」問題にまで拡張し、論じている。これら6つの批評は、いわば筆者のカートゥーン研究をおこなう動機にあたるものとなる。

第二章「日本におけるカートゥーン・ルネサンスは可能か?」は、6つの批評に呼応し、日本における風刺精神の衰退を社会文化空間の変容のなかに垣間見、その要因を日本の風刺滑稽画と物語マンガのメディア性の異なり、作品と読者との隔たり、すなわちその要因を表現と読解の過程のなかに見出す論考になっている。

次に第三章「カートゥーンにみる「笑い」の真価」は、日本における風刺精神の衰退原因について論じた第二章を引継ぎ、風刺滑稽作用をもたらす「笑い」とはそもそも何か、その根本的疑問を解き明かそうとした論考である。ここでは「笑い」の定義から、その活用、事例について諸説の紹介をおこないつつ、日本における「笑い」の特性について、西洋の「禁欲主義」と日本の「快楽主義」との対比をふまえ、その効果、効力の違いについて解明している。また

第三章は、第一章で指摘した日本のカートゥーンに不足する「笑い」そのものの意味と意義を問うことから、本書の要であり肝となる文章である。

第四章「ヒトコマまんが集 書評」は、日頃読まれることが少ないヒトコマ漫画家の作品集の批評を集成したものである。一九七〇年代までは盛んにおこなわれていた風刺滑稽画の批評は、現在美術評論家、漫画評論家、カートゥーン研究者においても、みられないのが実情である。この事に鑑み、筆者は二〇一六年から年二回、ヒトコマ漫画集の批評を『EYEMASK』誌に連載するようになった。本書掲載作品数は一五作品、もう一つは清水勲先生の「風刺画研究」集の書評となっている。

思えば、筆者のカートゥーンへの関心はながらく閉ざされたままであった。それは二〇〇三年、第三回日本マンガ学会（京都精華大学）で、蒼天社の野谷真治氏が発行する『EYEMASK』誌に出会うまでは、ほとんど思い出されるものではなかった。しかし、それがきっかけになり、一九七〇年代に触れた秋竜山、武田秀雄、橋本勝、山藤章二らの風刺画のことが思い起こされるようになったのである。そして二十歳代に読んだM・ホジャート『諷刺の芸術』、E・H・ゴンブリッチ『幻影と芸術』第四部 創見と発見 第十章 カリカチュアの実験、を再読することになった。

この時代のトレンドに背いて「風刺画」誌を発行し続けている人物がこの現代に存在する。それはまさしく自身にとっては大事件であった。それから筆者は野谷氏に連れられて本当に多数の風刺滑稽画の展覧会場に脚を運び、彼に出会わなければ生涯面識を得ることがなかったであろう多数のヒトコママンガ家と幸いにも知り合うことができた。さらにマンガ学会・カトゥーン部会に参加するようになり、この部会にて本書の発行人である汎工房の岡部拓哉氏にであうのであるが、それも何かの導き、何かの運命であったようだ。当時、カトゥーン部会は清水勲先生、茨木正治先生が主宰されていたが、この場での学びは大変有意義なものであった。部会そのものは、徐々にカートゥーン研究よりも多様な領域研究の報告と討論がなされるようになったが、年末におこなわれる傑作「カートゥーン」選出会は、いまでも楽しい思い出として残っている。

しかしながら、このように本書は日本の風刺滑稽画（カートゥーン）を論考の対象とすることから、とても地味な書籍となる。当然読者も限られた層にしか届かないことは目に見えている。この物語マンガ隆盛の時代に、滅びゆく風刺滑稽画はどのような存在意義をもつのであろうか。本書の校正を終えた今でも、まだ自問自答は続いている。そして、日本における風刺滑稽画の最後を見届ける役割を果たすかのような自身の立ち位置に少しいらだち、少し喜びも感じている。

最後に、本書の成立にあたり、多くの方に御礼を申し上げたい。まずはこの四年にわたり援助をいただいている科学研究費助成事業（日本学術振興会）：JSPS科研費[JP19K00539]からは、物語マンガ研究とあわせ、この間、副次的にカートゥーン研究をすすめる上でも大いなる糧をいただいている。感謝を申し上げる。次にあらためて野谷真治氏、版元となる岡部拓哉氏、故清水勲先生、茨木正治先生に感謝を申し上げる。この出会いがなければカートゥーンに関する書籍を刊行することはできなかった。また数々の書籍にて共同編集、執筆を分担していただいてる小池隆太先生、玉川博章先生、共同研究者である高橋明彦先生、筆者とともに静止画研究会の立ち上げに協力をいただいたアメリカ史の研究者である金澤宏明先生、カートゥニストとして世界で活躍する西田淑子先生、数々の講演会、展覧会でご一緒させていただき、また野谷氏と筆者が共同主催をしている「EYEMASK&まぐま」展にも多数ご来場くださった小野耕世先生に感謝申し上げる。また、同僚であり、報告の場をサポートいただいた日本マンガ学会九州交流部会の大城房美先生、日本笑い学会の講演にお声かけをいただいた岡村志以氏、年末は毎年楽しく参加させていただいた「ヒトコマまんが展」の会場であった画廊「すとれんじふるうつ」のマスター、小黒太郎氏に御礼を申し上げる。そしてこの二〇年にわたる雑多な文章に手を加え、整理いただいた校正担当者の高梨恵一氏に感謝を申し上げる。

そして最後にもう一言、付け加えさせていただく。どうか日本から風刺滑稽画（カートゥーン）の灯がこの先も消えませんように。切実なる願いをもって筆を置くことにしたい。

二〇二二年一二月二七日　深夜

初出一覧

第一章　『ＥＹＥＭＡＳＫ』44号（二〇一二年）、『ビランジ』21号（二〇〇八年）・25号（二〇一〇年）、『ＥＹＥＭＡＳＫ』37号（二〇〇九年）・49―50号（二〇一五年）

第二章　社会文化学会誌『社会文化研究』第15号（二〇一二年）

第三章　日本笑い学会・関東支部における講演「マンガにみる『笑い』の真価　～カートゥーン、ストーリーマンガにおける笑いの効力～」（二〇一八年）をもとに書き下ろし

第四章　『ＥＹＥＭＡＳＫ』52―62号（二〇一六―二〇二一年）

小山昌宏（こやままさひろ）
1961年生まれ
中央大学文学部哲学科哲学専攻卒
情報セキュリティ大学院大学 博士後期課程修了、博士（情報学）
現在、筑紫女学園大学 現代社会学部教授、自然医科学研究所研究員
サブカルポップマガジンまぐま編集＆発行人（STUDIO ZERO）
専門はサブカルチャー、情報社会、メディア研究
著書『情報セキュリティの思想』（勁草書房）、『戦後「日本マンガ」論争史』『宮崎駿マンガ論「風の谷のナウシカ」精読』（共に現代書館）、共編著『マンガ研究13講』『マンガ探求13講』（共に水声社）、『アニメ研究入門―アニメを究める9つのツボ』『アニメ研究入門　応用編―アニメを究める11のコツ』（現代書館）など多数

批評なきカートゥーンのゆくえ
風刺滑稽画はいかに生き残れるのか？

2023年3月31日　初版　第1刷発行

著者　小山昌宏
発行人　岡部拓哉
発行所　汎工房株式会社
〒181-0005 東京都三鷹市中原4-13-13
Tel.0422-90-2093　Fax.0422-90-7930
装幀　山口寿
印刷・製本　株式会社光陽メディア
ISBN 978-4-909821-17-1 C0095
